人文武术精品书系



勿使前辈之遗珍失于我手
勿使国术之精神止于我身

张占魁

形意武术教科书

武学名家典籍丛书

# 张占魁形意武术教科书

张占魁·著

王银辉 吴占良·校注

北京科学技术出版社

张占魁（1865—1938），字兆东，生于河北省沧州河间县鸿雁村，民国时期著名武术家，当时最著名的形意拳家和形意拳教育家之一，一生传授门徒学子达数千人。张占魁师从形意拳大师刘奇兰，并与著名武术家李存义、程廷华义结金兰，还曾参与创办中华武士会，在当时影响很大。张占魁身兼形意与八卦两门绝技，融形意拳之劲、八卦掌之变和秘传杆法为一体，创立以凶悍的劲力著称的「形意八卦」体系。他为后世形意拳、八卦掌的发展与传播做出了巨大贡献

形意武術教科書

图书在版编目（CIP）数据

张占魁形意武术教科书/张占魁著；王银辉，吴占良校注. —北京：北京科学技术出版社，2018.9

（武学名家典籍丛书）

ISBN 978－7－5304－9428－8

Ⅰ.①张… Ⅱ.①张… ②王… ③吴… Ⅲ.①形意拳－基本知识 Ⅳ.①G852.14

中国版本图书馆 CIP 数据核字（2017）第 331137 号

**张占魁形意武术教科书**

作　　者：张占魁
校 注 者：王银辉　吴占良
策　　划：王跃平
责任编辑：李金莉　李博伦
责任校对：贾　荣
责任印制：张　良
封面设计：张永文
封面制作：木　易
版式设计：王跃平
出 版 人：曾庆宇
出版发行：北京科学技术出版社
社　　址：北京西直门南大街 16 号
邮政编码：100035
电话传真：0086－10－66135495（总编室）
　　　　　0086－10－66113227（发行部）　0086－10－66161952（发行部传真）
电子信箱：bjkj@bjkjpress.com
网　　址：www.bkydw.cn
经　　销：新华书店
印　　刷：保定市中画美凯印刷有限公司
开　　本：787mm×1092mm　1/16
字　　数：170 千字
印　　张：23.25
插　　页：4
版　　次：2018 年 9 月第 1 版
印　　次：2018 年 9 月第 1 次印刷
ISBN 978－7－5304－9428－8/G·2736

定　　价：98.00 元

# 出版人语

武术作为中华民族文化的重要载体，集合了传统文化中哲学、天文、地理、兵法、中医、经络、心理等学科精髓，它对人与自然和谐共生关系的独到阐释，它的技击方法和养生理念，在中华浩如烟海的文化典籍中独放异彩。

随着学术界对中华武学的日益重视，北京科学技术出版社应国内外研究者对武学典籍的迫切需求，于2015年决策组建了“人文·武术图书事业部”，而该部成立伊始的主要任务之一，就是编纂出版“武学名家典籍”系列丛书。

入选本套丛书的作者，基本界定为民国以降的武术技击家、武术理论家及武术活动家，而之所以会有这个界定，是因为民国时期的武术，在中国武术的发展史上占据着重要的位置。在这个时期，中、西文化日渐交流与融合，传统武术从形式到内容，从理论到实践，都发生了巨大的变化，这种变化，深刻干预了近现代中国武术的走向。

这一时期，在各自领域“独成一家”的许多武术人，之所以被称为“名人”，是因为他们的武学思想及实践，对当时及现世武术的影响深远，甚至成为近一百年来武学研究者辨识方向的坐标。这些人的“名”，名在有武术的真才实学，名在对后世武术传承永不磨灭的贡献。他们的各种武学著作堪称“名著”，是中华传统武学文化极其珍贵的经典史料，具有很高的文物价值、史料价值和学术价值。

目前，“武学名家典籍”丛书已出版了著名杨式太极拳家杨澄甫先生的《太极拳使用法》《太极拳体用全书》，一代武学大家孙禄堂先生的《形意拳学》《八卦拳学》《太极拳学》《八卦剑学》《拳意述真》，武学教育家陈微明先生的《太极拳术》《太极剑》《太极答问》，形意拳家薛颠先生的《形意拳术讲义（上下编）》《象形拳法真诠》《灵空禅师点穴秘诀》，李存义先生的《岳氏意拳五行精义》《岳氏意拳十二形精义》《三十六剑谱》，刘殿琛先生的《形意拳术抉微》，李剑秋先生的《形意拳术》。张占魁师承刘奇兰、董海川两位宗师，并与李存义、程廷华义结金兰，是近代著名的武术大家。他创立的“形意八卦”武学体系，对后世形意拳、八卦掌的发展贡献巨大。本书是民国四年张占魁先生在南京创办中华武术研究社时，为该社及三年前创办的天津中华武士会编写的教科书，当时因故没有正式出版发行，只有手抄本在民间流传。全书分为十三篇，讲解深入浅出，清晰明了，是一本不可多得的形意拳早期佳作。

这些名著及其作者，在当时那个年代已具有广泛的影响力，而时隔近百年之后，它们对于现阶段的拳学研究依然具有指导作用，依然被太极拳研究者、爱好者奉为宗师，奉为经典。对其多方位、多层面地系统研究，是我们今天深入认识传统武学价值，更好地继承、发展、弘扬民族文化的一项重要内容。

本丛书由国内外著名专家或原书作者的后人以规范的要求对原文进行点校、注释和导读，梳理过程中尊重大师原作，力求经得起广大读者的推敲和时间的考验，再现经典。

“武学名家典籍”丛书，将是一个展现名家、研究名家的平台，我们希望，随着本丛书第一辑、第二辑、第三辑……的陆续出版，中国近现代武术的整体风貌，会逐渐展现在每一位读者的面前；我们更希望，每一位读者，把您心仪的武术家推荐给我们，把您知道的武学典籍介绍给我们，把您研读诠释这些武术家及其武学典籍的心得体会告诉我们。我们相信，“武学名家典籍”丛书这个平台，在广大武学爱好者、研究者和我们这些出版人的共同努力下，会越办越好。

# 导读

这部书是民国四年（1915 年）张兆东先生在南京创办中华武术研究社时，为该社及三年前创办的天津中华武士会编写的教科书，当时因故没有正式出版发行，只有手抄本在民间流传。该书由修身篇、武术篇、五行篇、八要篇、三才篇、六合篇、疾篇、四稍篇、虚实篇、全体篇、阵法篇、形象篇、勇敢篇这十三组共一百三十篇相对独立的论文（今缺三才篇、六合篇、疾篇、四稍篇四组共四十篇）组成，讲述者为张兆东，记录整理者为乔善宜。张兆东先生是清末民初最著名的形意拳大师和形意拳教育家之一，这些论文，基本上是他对《形意拳谱》的解读和阐发，对于当代形意拳乃至武术习练者、研究者具有重要的参考价值。

要想练好形意武术，就必须下功夫研读《形意拳谱》，但是《形意拳谱》有很多深奥难懂的地方，非明师不能通解其中的道理。而张占魁先生正是这样的明师，本书也正是解读《形意拳谱》的一部经典之作。现今这部书的手抄本能被有心人发现、收购并公开，真是形意拳界乃至武术界的一大幸事！

张占魁（1865—1938），字兆东，河北省河间县鸿雁村人。幼习少林拳、迷踪艺。少年时在天津谋生，结识河北深县李存义，并结为金兰。后随李拜于刘奇兰宗师门下，学习形意武术。二人又都是八卦宗师董海川先生的入室弟子。清末，张兆东先生任天津县衙马快班班首、直隶省营务处头领，拿贼捕盗、维持治安，成绩卓著，轶事甚多。北洋时期，曾任冯国璋的私人保镖。1911 至 1912 年，参与创建天津中华武士会，并任副会长至 1928 年中华武士会停办。1918 年 9 月，与师兄李存义携弟子韩慕侠、李剑秋、张远斋、王俊臣等进京，参加在中央公园（现中山公园）举行的“万国赛武大会”，击败俄国大力士康泰尔，轰动一时。晚年，张兆东先生一直在天津基督教青年会等处传授武术，并编撰天津中小学国术课教程。曾出任 1928 年杭州国术游艺大会等全国及各省市国术大赛的评判委员等职。张兆东先生一生传授门徒极多，知名者有张远斋（子）、刘锦卿、刘潮海、韩慕侠、白学海、刘汇川、武铭、魏成海、王占恒、王俊臣、魏美如、李剑秋、李存付、姜容樵、姚馥春、马登云、钱树樵、裘稚和、张雨亭、马骐昌、赵道新、顾小痴、温士源、苗春畬、武荩臣等。这对形意拳、八卦掌的发展与传播贡献巨大。

先生此书，时时表现出他对形意拳艺术（先生称为“形意武术”）的挚爱之情。先生对形意武术的深刻认识与纯熟把握，也时时体现出来。他的讲解深刻而老到，在很大程度上就是当时形意拳大师们的共识，凝聚了多少代人的心血与智慧。而记录者又熟谙经史，娴于笔墨。所以此书具有很强的感染力和说服力。

然而，现代读者对文言语法多不够了解，对传统武学经典（如《形意拳谱》）较为陌生，自身武术修炼也多有不足，阅读本书很容易遇到各式各样的问题。因此北京科学技术出版社以台湾逸文武术文化有限公司《形意武术教科书》为底本，出版该书的校注本，是一件非常有意义的事情。

这次校注笔者重点做了以下工作。

一、底本存在缺字及多处明显的断句错误，此次校注重新断句、标点，其中底本缺字以□表示。

二、底本中的文字讹误也有很多，这次对于其中显而易见的差错，大部分直接改正，以减少注释说明，读者可以对照影印部分看到这种改变。

三、由于文言文的跳跃性和简略性，这种拳谱性质的文献，只有字、词的注释是不够的。这次对书中的九十篇论文，全部给出了参考译文，补充了原文中缺少的连贯、转折、铺垫和过渡，使其文脉贯通、文意突显，希望读者重视译文的阅读。

四、尽量在注释和译文之间减少重复，形成轻重交错的关系。请读者注意对比阅读。

尽管校注者在本书的校注过程中做了大量工作，但是限于水平，定然还有失误和疏漏之处，敬请读者提出宝贵意见。

王银辉

# 《形意武术教科书》序

形意拳有始于南宋岳飞之说，元明失记，明末清初有姬际可传曹继武，清道光、咸丰年间，直隶（河北）李洛能受教于山西戴龙邦，后李传拳于河北，称河北派形意拳。自李洛能后传承清晰，李之门人郭云深、宋世荣、刘奇兰等在保定易县清西陵传播、研习形意拳，诸君传艺、收徒皆在西陵，西陵被郭云深弟子刘纬祥誉为行（形）意拳之发祥地。刘亦得李洛能弟子白西园、宋世荣传授，民国初年于保定撰《保定中学行意拳讲义》，录下早期行意拳术和传承谱系。拳术有五行拳、连环、杂式锤、十二行、八式、四把拳、十二连锤、六合棍。李之门人郭云深、宋世荣、白西园、刘奇兰等各有专精。刘奇兰传李存义、耿继善、周明泰、田静杰、张占魁、刘德宽等。张占魁（1865—1938）字兆东，河间人，即《形意武术教科书》之口述者。

早期《形意拳谱》传之甚稀，诚如民国乙卯（1915 年）郭云深徒孙孙禄堂（1860—1933）在其著《形意拳学》中说："曾在白西园先生处得见《岳武穆王拳谱》，并非原本，系后人录抄，所论亦不甚详，惜无解释之词，只篇首有跋数行。余一是顿开茅塞，立愿续述完备……"

自孙氏著作出版，李存义、张占魁等有关形意拳之著作相继问世，把中国武术提升到了一新高度。形意拳论与中国传统哲学、古代经典相贯通，这得益于具有深厚国学素养的学者介入。如整理李存义《五行拳图谱》之杜之堂（1869—1928），光绪拔贡，为著名桐城派古文大家、莲池书院院长吴汝纶弟子；绘图者阎道生，工诗文、通金石。《形意拳术教科书》之记录人乔庆春，也是一位学通中西的学者。应该说，文化人的加入是中国武术典籍得以流传、升华而成系统的重要因素。

形意拳术在清末民初极为繁荣，武术社团林立，为各阶层所学习，以其易学、实用，有学术依托相关，更与当时之社会时势和形意拳家的爱国情愫相涉。

形意武术既有民间之传播，又有政府指令，其重要成效是走入了中小学乃至军事学堂。据刘德宽弟子许禹生《体育季刊》创刊号之伊齐贤《纪事》中记载：

> 明年（1912 年），更纠集同志组设体育研究社，以提倡尚武精神，养成健全国民为宗旨，入社者颇为踊跃。民国四年，全国教育联合会开第一次会，同人等具书北京教育会，请提倡中国旧有武术，列为学校必修课，承提出议案，即获通过，全国学校半皆添授。

时北京、天津、保定之学校多聘请形意拳家入校教授。以时保定市为例，保定陆军军官学校成立武术研究社，聘王俊臣、李剑秋教拳，并出版了《武术研究社成绩录》，学员全部为军校学生；保定师范学校，先有郭云深弟子刘纬祥，继有李存义弟子王俊臣，后有耿继善弟子赵振尧；河北大学有许占鳌弟子赵庆祥，继有赵之弟子萧功卓；刘纬祥兼培德中学，赵振尧兼保定铁路工会、育德中学、志存中学，南关小学、同仁中学、民生中学有于殿奎，玉清观有刘德宽弟子刘凤祝，白西园弟子齐德林、齐德元子齐广如、刘德宽子刘国俊在家课徒，所教授者皆形意拳。成立于1932年的保定国术馆，刘纬祥等传授的皆是形意拳。

形意武术之进课堂及形意社团在教学时，教材是必需的，故当时形意拳之讲义，多属此类性质。今人撰写形意拳之书数十倍于前人，但从学理角度讲，连正确理解尚且不够，何论发展。尤其是前辈武术家生前未留下照片，遂找一老照片冒充，或自编一套说法，谎称先师秘传。与其如此，还不如沉下心来读读历代祖师遗著，或有得于心，稍有所悟。张占魁先生之《形意武术教科书》就是这样的好书。先生口述以修养、武术、五行、八要、虚实、全体、练法、形象、勇敢为顺序，深入浅出，不厌其烦，娓娓道来。虽是文字表述，然一招一式，练法、用法，清晰明了，绝不做神秘之语，可见老辈武术家之高尚品德。承蒙北京科学技术出版社之信任，为张先生之著作简注，荣幸之至。后学虽少时即习形意拳术，然懵懂之处不在少数，读张先生是书，时有疑问顿解之感。《形意武术教科书》是一本绝对的好书，足可为我们虔心顶礼的老师。

吴占良

2016年6月拜记于保定

# 台版提要

《形意武术教科书》，张占魁（兆东）口述，乔庆春（善宜）整理，民国四年（1915 年）手抄本。

张占魁先生师事形意拳大宗师刘奇兰，并与李存义、程廷华义结金兰，为近代形意、八卦门之一代宗师。

1911 年，张占魁与李存义共同参与创办天津中华武士会，并亲身执教。其授徒非常注重武德教育，视武术为强种救国之基业，尝言："武术之日益发达，则是强健之国民日益加多，而吾国其庶几强乎！"

刘奇兰先生幼读姬公际可所传《岳武穆拳谱》，张占魁亦能熟读。以其文深，人不多能明其言，不宜作教科书之用，故另口述，请乔善宜（庆春）先生笔之成文，使海内同志学形意而未得师者，得观之瞭然而悟。

形意武术教科书，按目次所录，原谱内容应分为三级（三册）：初级——修身、武术、五行、八要四篇；二级——三才、六合、疾、四稍四篇；三级——虚实、全体、阵法、形象、勇敢五篇。共计十三篇，一百三十章。惟余取得此谱时，仅存一级、三级两册，独缺中级一册四篇，若以所缺称憾，则所得相形可贵。

原欲待日后有缘，以补缺漏。但以余从事武学工作十数年之经验，此等珍本，藏诸名家后人、传人之手，视若珍秘，几不示人，故不愿做遥遥无期之盼，即出此残珍，作抛砖引玉之举，愿与天下武友共享，望有仁人君子共襄盛举，以期求全，则为中华武术之大幸矣！

# 形意武術教科書

張占魁　口述
喬慶春　整理

張占魁　先生

張占魁　先生

張占魁（左）、張士林（右）

# 自敘

將欲轉弱國而致之強，必先有以強其民，此武術之所以提倡也。在民國二年時，前馮大總統方督直隸，余始糾合同志，呈請馮總統得立中華武士會於天津。閱二年，馮總統任江蘇督軍，余在南京，復糾合同志呈請馮總統又立中華武術研究社於南京，事屬創辦，多經困難，兩會幸能成立。迩來海內同志新學形意者以萬數，其有志欲學而未得師者，尤加多焉。欲皆使之通明此拳，又豈親授之所可得哉！是不可不作書也。昔在南宋時，武穆王岳飛始傳此拳，及明末有蒲東人冀公際可者，始得王所著譜。深州劉綺蘭先生習之此拳，始傳於直隸。先生以傳於其子殿琛及李存義與余，余師事劉先生，幼而讀冀公所得譜，以為其文深，人多不能明其言，不宜作今日之教科書也。而余以不文，不能自作書，因口述以言，請洣陽喬善宜先生筆之成文，潤色之得十三篇，百有三十章。文不避繁而求其詳，言不避淺而求其明，庶海內同志新學此拳者與欲學而未得師者，披而觀之，瞭然而悟，皆得以通明此拳，而體力日增，則武術將日益發達矣！夫武術之日益發達，則是強健之國民日益加多，而吾國其庶幾強乎至。書中不無錯謬，尚望海內通人指而正之。

中華民國四年直隸河間張兆東序

且天下事，患無寔，不患無名，蓋寔至者名自彰。每見世人有一善之能，互相謬讚，立鼎垂碑，以期久遠，乃人往風微，無真跡可攷。名不符寔，亦只事過情遷，安能久而不變，逾世彌彰哉！若岳武穆王則不然，王宋人也，生于相州湯陰，諱飛，字鵬舉，父早喪，事母至孝，家貧，好學不倦，猶好左氏春秋與孫武十三篇。及長，應募于宗，留守帳下為將，雅歌投壺，彬彬然有儒士之風，屢尚戰功，名振當時。精通鎗法，以鎗為拳，立此法以教諸將，名日意拳；均取龍虎猴馬鮀雞燕鷂蛇駘等精能之法，又名曰形意。然自王遇變之後，歷數百年，湮沒不彰。至明末清初時，有姬公，名壽，字際可者，係蒲東諸憑人，訪名師於終南山，得王真傳，並得拳譜數頁。然經二百餘年抄錄，訛錯甚多，未免失其奧旨，今有河間張君，字兆東，精是藝，慨華國人多危弱，欲將是藝公諸海內，使我四萬萬同胞轉弱為強，遂在南京、天津等處，刱辦武士會及武術研究社，煩予作譜為教科書。予家鮮倉雅，腹慚邊笥，抱歉滋深，然既為強國起見，亦屬義不容辭，因率爾操觚，忘厥鄙陋，因作十三篇，每篇十章，共計一百三十章，因名形意武術云。練法用法皆寓其中，故以修身、武術冠其首，勇敢殿其末，使後之業是藝者，均為有用之成材，不至流為鄙匪，方不負張先生之本心也。是書一出，尤望海內精於是藝者，嚴為指疵，非特予一人之幸，寔社會之幸也。

民國四年洣陽喬慶春善宜氏敘

# 目錄

3　修身篇

# 修身篇

# 修身篇第一章

身為五行百體之原，具有當盡之天職，若不賦完全體態，寔有愧盛世之國民。每見當世之人，論品格，天資明敏，觀家道，富有倉箱，而未及中年，而一身疵累百出，不能壽享期頤者，何故。惜乎！世人但知有身，而不知修之。故《大學》云：「壹是皆以修身為本」，《中庸》亦云：「修身則道立」，以此觀之天下，無論具何等資格，皆不可以不修身。果然，家道昌明，子孫繁衍，國亦因之而強盛，人何憚而不為之。

## 修身篇第二章

修身之道雖不一，然無非令人身體強壯，作為有用之國民。然皆宜以身修身，不可惑于異端邪說。昔漢武帝好神仙之術，欲求延年益壽之方，天下徧求方士，殿前豎銅柱高數十丈，上置承露盤以接天漿，和金玉之屑而飲之，隨亡，是欲求長生，反促其壽。是知，有修身而不于身內求修身之法，別求異外之方，是知，有修而不得其修之真法，究與一身何益。後世之學者，宜以此為前車之鑑。

# 修身篇第三章

蓋身以氣為主，孟子曰：「我善養吾浩然之氣」，昌黎公亦云：「氣盛則言之長短與聲之高下皆宜」，為文如此，修身亦然。身內有五行，外具四肢，以五行致四肢，內外相合，動靜有常，舉步有法，令其血脈貫通，筋骨活潑，未有不壽享遐齡者。孟子云：「苟得其養，無物不長，苟失其養，無物不消」，「至于夭壽不貳，修身以俟之，所以立命」，此誠古今來不可易之常經，諸君何不三復斯言。

## 修身篇第四章

修身之道，關係國家之強盛，使以修身之法，一人傳百人，百人傳之千萬人，我華國四萬萬人民，無不講修身之法，其強可加。環球之上，無如華人，事事仿于西人。西人修身之法，雖有專門，而普通之人，無論士農工賈，均六日做事一日休息，以抒其腦力，似不枯寂，正《易經》所謂七日來復之意。目下華人，除官場軍警學等界，均有休息，農工商賈仍守其舊，何不于正事之餘暇，學習武術，此亦修身之一端。

# 修身篇第五章

我中華肇造伊始，列強林立，眈眈虎視，趁我國基礎未固，皆有窺伺我疆土之心。我華人惟以修身之術，父以勉其子，兄以勸其弟，互相聯絡，固結團體，四萬萬同胞，均如身之使臂，臂之使指，保守我中國，眾擎易舉，安見孱弱之中華，不變為強盛之中華。自茲之後，庶幾與列強永結盟好，保無四分五裂之虞，是修身自強與我中華有密切之關係，人亦何憚而不修身。

## 修身篇第六章

身為一己之身，修之可以保其全體。常見我華人，自知識一開，即驕奢淫佚，自損其天年，放蕩自恣，毀傷其肢體，未及中年，即四肢不仁，五官倒置，此以有用之身，置之無用之地，有識者惜之。諺云：「苦海無邊，回頭是岸。」我同胞極宜猛省，競競業業以守其天真。曾子云：「如臨深淵，如履薄冰。」而今而後，吾知免夫，後之修身者，當以此為龜鑑。

# 修身篇第七章

身為父母所生之身，修之可為克家令子。吾身自父母降生以來，顧復之情，無不曲盡，提携保抱者數年，出入扶持者數年。為父母者，莫不望其子，壽享百年，永無災害，及至成立，父母唯其疾之憂，猶無時或釋。朝出而不歸，父母必倚閭而望，日暮而不還，父母亦必倚閭而望，為人子者，亦宜仰體親心，省身克己，以慰父母奢望之心。奈何世人不察，虧體辱親，令父母風燭殘年，抱終天之遺恨。人必修身，方無愧家庭之肖子。

## 修身篇第八章

身為天地肇造之身，吾修之，可為天地之完人。天地之生，物不齊，動植飛潛，而于人，鍾靈獨厚，故含齒戴髮，異于羣生，五官四肢，全其本象，天地若故示其優異，以顯造物之奇之。在人者，亦宜仰上帝之心，報答獨厚。內則存心養氣，保其天真，外則蹈矩循規，以全其耳目，芸芸雖眾，宇宙間豈有棄材，願世自甘暴棄者，急宜修身，方無負造物栽培傾覆之美意。世人奈何甘為天地之棄材，而不修身。

# 修身篇第九章

身為中華民國之身，吾修之可為有用之國民。我中華四萬萬同胞，除婦女之外，身體精壯之男子，不過十分中之五六。然較之西洋各國之人，尤多數倍，使人人歸真返本，保其固有之天真，我中華地大物博，人知自強，環球當列為第一，何至交涉之際，著著退步，財政困難，羅掘俱窮，似強盛之華國，變為危弱華國，夫果誰任其咎耶，皆華人不修身有以致之，我同胞何仍作睡獅，而不猛然警醒哉！

## 修身篇第十章

綜之，修身一端處于今日之時局，將有迫不及待之勢。外則強鄰壓境，侵我封疆，內則蟊賊內訌，搖亂我基礎，四面楚歌，前途幾難設想，惟賴我五族同胞振刷尚武之精神，努力齊心，共捍衛我疆土。若仍醉生夢死，朝不慮夕，瓜分禍起，奴隸性成，國破家亡，墜巢之下難求完卵，豈不步越南、高麗後塵。當斯之時，欲脫奴隸之籍，則已晚矣！或有問于予曰：「修身尚武當以何者為先？」予應之曰：「亦惟習形意武術云。」

# 武術篇

# 武術篇第一章

自古立國家者，有文事必有武備，況當競爭時代，弱肉強食，若無武備以佐之，幾難立于環球之上。當此之時，而仍以筆墨爭長，一紙賢于十萬師，則謬矣！我中華自變法以來，兵學亦有專家，而步法整齊，陣圖嚴明，亦自盡善盡美。而于體操一門，尚多未講，縱有跳高縱遠之法，然不過近于游戲，而于養身之道，尚有憾焉。養身之道當以何者為急務，亦惟岳武穆王所遺形意拳術誠良法也！

## 武術篇第二章

世之業技藝雖多，然亦不過練習腰腿靈活，眼明手快，五花八門，騰挪閃展，徒炫閱者之耳目。究于寔用，無所裨益，安能久而不變，踰世彌彰哉！王宋人也，世居河南湘州，為童子時，得武術真傳，然數百年湮沒而未彰，直至清初，經諸馮姬公名際可者，始闡明其術。術蓋本先天，按陰陽、五行、三才、六合、七疾、八要、十二形象之法以成之其術，大之可捍衛社稷，次之可趨吉避凶，誠至善之術，較世業技藝之流，則有不可同年而語矣！

19　武術篇

# 武術篇第三章

術以養氣為本真，以先天養後天，以後天補先天。丹田氣足，內達于五行，外發于四肢，正所謂睟然見于面，盎于背，施于四體，加以練習之功，朝乾夕惕，血脉貫通，筋骨堅壯，內外如一，手腳相合，動靜有常，進退有法，手不虛發，發則必勝，心不妄動，動則必應，所謂百戰百勝者，此武術也。際此群雄較力之秋，有強權，無公理，我華人人練習武術，何難轉弱為強，在五洲之中，首屈一指。中華欲優于列強，捨武術其何以。

## 武術篇第四章

孔子云：仕而優則學，此蓋學夫治世之道，而非今學保身之道也。然仕者于保養身體一端，亦不可不急。講內則各部，外則各省，官雖不同，理則一致。于公事之暇，攏二三秘友，花天酒地，麻雀妓館，居樓番館等處，以為開智識，長精神，洞天福地，而不知徒耗心術，揮霍洋元而已。而于一身，有何益哉！何不于公餘，學習形意武術，一旦有警，賈其餘勇，講勵人民，荷戈持戟，保衛疆土，黎民賴以治安，方盡公僕之責任，仕者何不急學武術。

# 武術篇第五章

古者寓兵于農，故春蒐夏苗秋獮冬狩，皆于農隙以講武事，雖則治兵，不妨農事。自商鞅相秦，井田之法廢，兵與民遂分為兩歧，于是兵不務農，農不知兵，自茲以後，財政困難，國家從此多事矣！然際此華國反正之時，農人于武術一事猶不可稍緩須臾也。夫農人于春耕夏耘秋收冬藏之餘，尤欲施其有餘之力以舒筋骨，何如于朝夕風雨之暇，學習武術，可以防己，可以保家，倘有不虞，亦可持挺以禦暴客，農人習此，有百益而無一害，何憚而不習之。

## 武術篇第六章

百工居於藝場之中，勞其筋骨，困其體膚，猶必切錯琢磨以求製之愈精，而益求其精也。然少年好事，尚不覺其疲憊，以其筋脈靈活，血氣貫通，稍緩須臾，即可復元。及其老也，血氣既衰，未有不傴僂其身，拳曲手足者，是未知學練形意武術之過也。誠能于日省月試之餘，燈影月光之際，勤習武術，外不廢其職業，內不倦其精神，誠一舉而二得也。凡人，勞其形者，疲其神，悅其神者，忘其形，管子不云乎哉！願工人及早學之。

# 武術篇第七章

商家攜數萬金錢，南天北地，東奔西馳，以謀三倍之利，倘有不虞，亦惟束手無策，仰屋興嗟，徒虧耗資本，人不帶傷，亦云幸矣！尚有何策以處之，商家于此，亦惟思患預防。勤習形意武術，動靜有常，剛柔互濟，手不空回，出則必勝，若遇敵人，施展三拳三棍之法，使敵人頭破血出，抱頭鼠竄，此亦人生大快事也。若蘇子瞻值此，必浮一大白。商家何忍輕折其股本，而不急學武術，養身體，保財產，均善法也。

## 武術篇第八章

兵，凶器也，可以百年而不用，不可一日而不備。際此時代，若無軍旅以佐之，其國幾難立于五洲之上。歷觀十九紀世，各統兵大員，亦均以技藝武術為重，每當挑選數軍作管帶親勇，然所學，亦不過花刀花槍，徒糜糧餉，究無補于寔用。當我中華實事求是之秋，盍不于各軍操演之餘，學習武術，進退有法，擊刺有方，若遇敵人，未有不出奇制勝者。曩者，日俄失和，兵端衅起，日所以勝俄者，由擊刺之法精也，我軍人當有鑑之。

# 武術篇第九章

巡警之設，專為保護人民，所以有捕盜捉賊之責，若無武術以保身，難免有不虞之慮。若當白日青天之下，尚可施其計巧，若黑暗之時，我明彼暗，縱有槍械，亦無所施。困獸尤鬥，況賊人生死相關，安得不拼命逃走者乎！是當之者死，遇之者傷，致賊人漏出羅網，豈不可惜。惟有學形意武術，設有是警挺身而出，三拳三棍將賊擒，保人民治安，盡警士責任，惟望警界方面諸公，于各區聘請武術教員，眾警士于勤務之暇，均得學習武術，于治安之策，亦不無小補云。

# 武術篇第十章

學界為各界萌芽之始，必令其據有根基，方可為幼學壯行之寔跡。目下各學堂于學生功課之餘點，亦設有拋球、打蛋、蹦高、縱遠、跳濠、走浪橋行木種種雜技，以抒其筋骸，此皆以有用之精神，置之無用之地，辜負光陰，無所取益，不如學習武術一門，尚庶幾乎。日後不論居乎仕農工商、軍警學等界，均綽綽有餘，不必再起爐灶，自能各盡其職，學者于形意武術，亦當急于進取，不可稍寬也。

# 五行篇

# 五行篇第一章

五行以金為首，金者，堅物也，金銀銅鐵錫皆屬焉。于四方則在西，四時為秋，五味作辛，五臟從肺，五官屬鼻，于物則從革，于武術之中則可作劈法之用。學者欲學劈法，則前手伸出，似直非直，微形彎曲，手指骨節亦然，後手至肚臍，亦如前手。前手若動，腳亦隨之而動，後手亦如是，至術所謂手與足合，循環往返而不息，久之，周旋中規，折旋中矩，心一動，手足隨之而動。所謂成法在心，借形于手，學者解此，則于形意武術之功，料得梗概矣！

## 五行篇第二章

金既為堅物，可作刀斧之用，劈法屬金，如手持砍刀劈物之狀，或持刀戟斧劍，亦如空手之狀，不必改其初衷。若與人對敵，前手落空，後手即隨之而到，正是換手不換著，步亦隨之走。術譜有云：三回九轉是一勢，勢怕人間多一精，一精知奇萬事精，取之不盡，用之不竭，是在學者善于變通耳。然金能剋木，是以劈法能破搠法，何也？搠法屬木故也。

# 五行篇第三章

其次是木，木是柔中堅物也，植于土者，皆其屬焉。于四方則在東，四時為春，五味作酸，五臟是肝，于物則作曲直，在武術之中宜作擗術。欲學擗法，兩手握拳，亦如劈法之狀，兩腿向前邁步，極力用力，如將太山推倒之勢，正所謂：上法須要先上身，手腳齊到纔為真。至習練既久，丹田氣足，手與心合，動靜如一，得心應手，學者于形意武術已思過半矣！

## 五行篇第四章

木為柔中之堅物，其材可作棟樑之選。武術搠法屬木，用之者亦如以手持物作搠人之狀，如手持長杆，短棍使用亦如，空手相同，不必令生他法。若與敵相持，即雙手握拳，隨高打高，隨低打低，術譜云：兩手出洞入洞緊隨身，兩手不離身，手腳去快似風，疾上更加疾，打了還嫌遲。其法正所謂：始如處女，終如脫兔者。學者推行盡力，鼓舞盡神，神而明之，存乎其人矣！然搠法能破橫法，橫法屬土，是以木剋土也。

# 五行篇第五章

中央屬土，萬物皆育其上焉，于四方則在中，五味屬甘，五官屬鼻，在武術之中則為横法，以其横亘于天地之中。學者欲練横法，舒身下氣，垂肩墜肘，兩手握拳或掌均可，前手用掌後用拳，彼以直來，我以横往，要步斜身縱横往來，目不及瞬，所謂起横不見横，方為善用横。武術離却横，諸法不能行，是武術必用横，猶人不可一日離土也。學者解此，已得横法真傳矣！

## 五行篇第六章

土生于火，靜物也，金木水火皆寓其中焉。學者欲用橫法，或持刀戟，或用空手，勢雖不同，理則一致。若無對敵，彼一往直前，我以橫法刦其力，使不得伸，我可以蹈隙而入。敵人雖有伎倆，亦無所施，我得以上下其手，展其餘力，令敵人捉摸不定，此百戰百勝之真訣也！土生于火，是橫法，來自炮法，然亦能破鑽法，鑽法屬水，是亦以土剋水也！

# 五行篇第七章

水柔物也，江河湖海均蓄焉。四方則在北，四時為冬，五味屬鹹，五臟屬腎，形則潤下。在武術之中則為鑽法，因其有隙即入與水相同，故屬水也。欲學鑽法，肩肘手腕橫生裏力，使人不能攻入，此與橫法均是顧法，又曰守法。術譜云：先打顧法後打人，此之謂也。武術必用鑽法，鑽屬水，猶人不可一日無水也。學者鮮此，顧法不遺餘力矣！

## 五行篇第八章

水生于金，柔物也，而剛則不能勝焉。其法本生于劈，而搠法又寓其中，其術膝肘相合，用壓裹之力，任敵人劈胸而入，堅強不屈，我用柔化其剛，彼力一懈，我即蹈隙而入，隨步進取，所謂：出其不意，攻其不備也。縱敵封固甚嚴，閉關自守，亦難當無微不入之水。所以古人用水以勝人者，比比然也。鑽法能生搠法，又能破炮法，炮法屬火，是亦以水剋火也！

# 五行篇第九章

火生于木，屬于陽，明三昧之真俱在焉。四方是南，四時為夏，五味屬苦，五臟是心，形象炎上，在武術之中為炮法。論炮法之原委，在古為石，今則變為銅質。用法內注焰焇硫磺雜于炭質，燃火，既發而能遠，有直無曲之象也，武術之炮法亦然。欲學者，兩手握拳，步作剪股之狀，發左手邁右步，發右手邁左步，一手向前直發，一手向頭作保護之勢，左右變換，有進無退。學者明于炮法，五行之意已得其全焉！

# 五行篇第十章

火為飛騰之物，性屬于直，如人有正直之性，則命之曰爆竹，取其正直無私也。武術中之，炮法亦取其發而必中之意，如與敵人相對，我握拳吸氣，靜以待之，彼手一發，即一手保護，一手進攻，手一進，身步俱隨之而進，一往直前，如炮之有速率，遠攻遠取，敵人縱有撐拒之力，亦難當此開山鑿險之功也。炮生于擲而本于橫，而專能破劈，劈屬諸金，以其火能剋金也！

39 八要篇

# 八要篇

# 八要篇第一章

學者，不誌其大，雖多而何為，蘇子不云乎哉！以予觀之，為文如斯，習武亦然。前篇五行所言劈捌炮鑽橫，不過于武術之大綱，撮其極要，若不細言夫條目，似學者入手無由，茫茫大海，亦徒望洋而嘆，難得津涯。惟明挈其要領，學者得所指歸，簡練揣磨，不致悞入歧途，以後入室升堂，庶幾得箇中真趣，岳武穆之功于焉不朽。由是觀之，是非先講八要不為功，八要為何？試為學者縷析言之。

## 八要篇第二章

第一，學者三星，要明何為三星？兩眼與心也。人之一身，心為元帥，眼為先鋒，心為一身之主，故比之三軍司命，眾之死生，國之存亡，係焉。必得明鑑萬里，算無遺策，所謂運籌帷幄之中，決勝千里之外，方稱主帥之責任。眼有鑑察之能，可比衝鋒踏陣之首領，亦不可徒憑血氣之勇，必先窺對陣之虛實，察敵人之短長，方能往有功也。術譜有云：明了三星多一力，蓋眼不明，手足無所措，心不明，一身無所依歸也！

# 八要篇第三章

二曰，三尖要對。何為三尖？鼻尖、手尖、腳尖是也。三尖如三峰，對峙無所偏倚。于其間，鼻不對手，是上節不明，手不對腳，是中節不明，腳不對手鼻，是下節不明。上節不明，是氣不貫頂，中節不明，是腹腰均慵，下節不明，兩腿斜傾，譬如鼎有三足，缺一不可。術譜中身法論云：不可前俯，不可後仰，不可左斜，不可右欹，往前一直而出，往後一直而退，此正言三尖必對之法也。學者解此，自無身體不正之患矣！

## 八要篇第四章

三曰，三意要連。何為三意？進意、顧意、踼意是也。有進無顧，進亦罔然，有顧無踼，顧亦不堅，有踼無進，顧踼亦無功，所謂手動腳不動則罔然，腳動手不動亦罔然。術譜有云：三意不相連，必定藝而淺；又云：腳踏中門搶地位，就是神手也難防。由是觀之，三意相連可比三人同心力可斷金，此必然之勢也，學者不可不知。

# 八要篇第五章

四曰，三前。要知何為三前？眼前、手前、腳前是也。眼前不明有法難行，手前不明拳出無功，腳前不明踏處盡空，此武術家之大害也。術譜有云：眼要毒，手要奸，腳踏中門往裏鑽：又云：眼有鑑察之精，手有撥轉之能，腳有行逞之功。即此推之，三前不明，諸法難行，三前若明，武術均通，學者欲講形意武術，離却三前尚何以哉！

## 八要篇第六章

五曰，內要提。內，五內也。諺云：腹內不精，手腳均慵，腹內一精，四稍皆平，是內提為至要也！何以為之？學者必垂肩墜肘，吸氣開胸，中腕要催，丹田氣滿上貫至頂，肛門自然提起，渾身血脉靈通，無絲毫澀滯，所謂：心一靜腹內皆靜，《大學》誠意正心之功，亦不外乎此。此慎獨之功，莫見莫顯，學者不可因其隱微而忽之也！

# 八要篇第七章

六曰，外要隨。外，四稍也，要隨是不可與內隔閡也。心為元帥，四稍為將官，心動身不動，所謂將帥不合，往必無功，取敗之道也！蓋心一動，渾身俱動，心動身不動則罔然，身動心不動亦罔然。術譜有云：五行合一處，放胆即成功。所謂五行，言內外五行也，若能相合，內外如一，何愁不動則即勝哉！惟望學者誠中形外，勤加訓練，無負此諄諄誥誡之苦心也！

## 八要篇第八章

七曰，齒要叩。達摩《易筋經》言：學者欲練此術，必先叩齒三通，然後依法演習。因齒為骨稍，齒一動，渾身俱動，如人睡覺聞聲警醒是也。武術言叩齒，是令閉口，使氣不得由口而出，是養丹田第一要著也。人要動力，無論何事，綜宜合齒吸氣，力方能伸，即人開跑步，若張其口，數武之間，人必上喘，此一明証也！諸公不信，請嘗試之，方知此不誣也，學者解此，已得武術中之捷徑矣！

# 八要篇第九章

八曰，舌要頂，是以舌尖頂上腭。舌為肉稍，是周身血脉所關也，舌一頂腭，渾身血脉均活，又為心稍，譜云：舌與心合多一精，於此可見矣！此與上篇叩齒俱係暗功，俗云：明力易練，暗功難學，不明乎此，雖朝乾夕惕，練習四肢，難進易退，安能久而不變哉！譬之戰陣，軍將之功，非關旗鼓之力，然旗倒鼓息，軍將勇力因之不振，此必敗之道。學者解此，自明齒與舌之要處，不可稍缺其一。

# 八要篇第十章

以上四篇作為初級，為學者入道之基礎，故以修身為主腦，武術次之，五行八要又次之，學者由此入手，已得形意武術之大畧，亦行遠自邇登高自卑之意，尤必勤加訓練，日就月將，熟能生巧。孟子云：梓匠輪輿，能與人規矩，不能使人巧，蓋自寓于規矩之中也，學形意武術諸公其勉旃。

# 虛實篇

# 虛實篇第一章

且天地之大，萬物皆育其中焉，事雖不同，而理則一致，惟虛實二字足以賅之。先有虛而後有實，有實方顯其為虛，無虛則無實，無實焉能有虛，虛之中寓實，實之中生虛。至於，始則是實終變為虛，始則為虛終則是實，又有，看則是虛，而實則是實，看去是實，實則是虛。兵法有云：虛者實之，實者虛之，此諸葛武鄉侯先生之長技也。虛虛實實，實實虛虛，變化無窮，令人幾不辨，何者為虛，何者為實，斯為善用虛實者矣！古往今來，凡事如斯，而練形意武術者，亦可獨不然。練則是虛，用則是實，至於彼則用虛，我則用實以當之，彼則用實，我則虛心以待之，人虛我實，人實我虛，為練藝極要之一端，人必明夫虛實，而後無愧乎練藝者矣！

# 虛實篇第二章

治世之道，不離文武兩途，文能經邦，武能濟世，文人執筆亦等於武士練藝，遇極難下筆之處，必先四面烘托，而後用實事以誌之，所謂之先虛而後實，若一口咬煞，必至死於句下。若武士對敵，遇強大有力之人，力舉千鈞，我則百鈞而不勝，非用虛實之法，此取敗之道也！試觀楚漢爭雄，項羽百戰百勝，漢王三戰三北，孤身逃走，幾無立錐之地，是漢王不明虛實之道也！自得淮陰之後，雖仍敗如故，兵馬並無損傷，是淮陰深明夫虛實之理也！項王叱咤風雲，力敵萬夫，若與較力，如以卵擊石，必不能完全。所以項王一見淮陰必大罵，膀夫敢戰三合，淮陰必虛掩，一戰敗下，以避其鋒，此彼實而虛也。至九里山十面埋伏，一戰成功，是彼虛而我實也。若非淮陰深明虛實之理，未知鹿死誰手，練藝者曷諗之。

# 虛實篇第三章

第一，進退宜明夫虛實也！術譜云：進步要高退步低，不知進退罔學藝，是進退二字為練形意武術最要之關鍵，即虛實二字亦為練形意武術之本源。彼進而我退，是避其實也，彼退而我進，是導隙以擊其虛也，即武子兵書所謂避實擊虛之法。若不明虛實，彼進而我亦進，以實擊實，力強者勝，危弱者敗，大者關乎國家之存亡，小者關於一身之性命。至彼退而亦進，更宜察其虛實也，彼用引誘之法，我則悞入網羅，必致身命不保。術譜有云：見空不打，見空不上，正謂此也。至於，進步硒打莫容情，是言其實也，退步須防地不平，是言其虛也。

是虛實二字，練形意武術者，不可弁髦視之也。亦惟學者平日涵養有素，有真實之功，無虛誕之勢，一旦大敵當前，高下在心，法隨手至，正俗語所謂：百練精化為繞指柔者，此之謂也！

# 虛實篇第四章

第二，用力宜明夫虛實也。人之用力有虛實，猶人之遇事有緩急也，事之宜緩，急則生變，事之宜急，緩則難圖，若大敵當前，人用虛式以誘我，我必用虛式以搪塞之，若不明乎此，悞用實力以架之，彼得趁我之式而勝我之機，若彼用實力，我用虛力以招之，此太山壓卵，必至傾倒數步之外，惟彼以實來，我以實往，以實對實，以虛對虛，勢匀力敵，再加以手法之巧，步法之精，其不以此勝人者幾希矣！所謂：用力少而成功多者，此也。若學藝者不察乎此，不問可否，不論是非，不窺虛實，不明機變，彼以直來，我以直往，自恃武藝之精，力大欺人，所謂：恃藝必死於藝大。聖人有云：強梁者不得其死，好勝者必過其儔，惟望學宜書紳佩之。

# 虛實篇第五章

第三，遇敵宜察其虛實也。敵人強大有力，身材魁偉，加以練藝有素，此則實中之實也，我若以猛撞漢待之，此必敗之道。兵書有云：欺敵必亡，正謂此也。若敵人身材孱弱，瘦小枯乾，又無練藝之功以助之，此則虛之中又虛也，不妨或搠或炮，一著成功，何必與之久戰。術譜所謂：視人如蒿草，此之謂也。敵人或虛或實，何以辨之，將一對面，用手一引，便知其底理也。俗云：行家一伸手，盡知有無有。若身雖長大，一勇之夫，我可以用功力以勝之，雖藐之亦無妨。若身雖矮小，功夫學力勝我十倍，我若以平常視之，亦必敗之道。兵法亦云：驕敵必敗，此之謂也。綜之，若與人對手，必平心靜氣以待之，不可心慌意亂，手足無所措，耳目無所加。俗言：靜則生明，知敵人虛實，勝之則不難矣！

# 虛實篇第六章

第四，用法宜知虛實也。有形者為實，無形者為虛，以六合論，外三合為實，內三合為虛。手與足合，肘與膝合，肩與胯合，此有形可見，故為實也；內三合為虛，心與意合，意與氣合，氣與力合，此無形者可見，是為虛也。綜之，實生於虛，虛本乎實，無虛則無實，實生於虛，無虛焉能生實，二者相需為用，不可稍有缺點者也。至於五行用法無不皆然，劈攤炮攢橫屬於五臟脾肺肝胆腎，是劈攤炮攢橫有形，脾肺肝胆腎無形，是有形者為實，無形者為虛也。為學者，平日養丹田之力，練腑臟之功，一旦用之，法隨心生，不致踏虛無之弊，用虛生實，內外相合，得箇中真趣矣！若不明虛者，何克臻此。

# 虛實篇第七章

內外宜明虛實也。含於內者為虛，發外者為實，如以上數篇所論五行、八要、三才、六合、七疾、四稍等，以及下篇十二形象，雖手足身法之功，皆本於丹田之用力，所以術譜云：丹田養成長命寶，萬兩黃金不與人，是丹田為虛，五行、八要、三才、六合、七疾、四稍、十二形象等法均為實也。即前篇所論，虛能生實，而實發於虛也。不止乎此，即五行而言，亦各有虛實之法也。如劈拳能破擲拳，是劈拳屬實擲拳屬虛也，其以金能克水也，然擲拳亦能破橫拳，是擲拳屬實橫拳屬虛也，五行生克之法皆然，均是生者為實，尅者為虛也。六合，手與足合，膝與肘合，肩與胯合，在外者可見，人皆知其為實也；心與意合，意與氣合，氣與力合，在內者無形，人亦知其為虛也，然虛無真實在外之實，亦歸於虛矣！是實本於虛，欲乎實，非於虛入手則不可，餘法可以類推，學者其審諸。

# 虛實篇第八章

起落宜知虛實也。術譜云：起落二字要分明，是知，一起一落為學形意武術極要之地點。起為虛，落為實，是學藝者之通論也。至於起亦有實，落亦有虛，虛之中存實，實之內含虛，學者亦不可不講。如，起手橫拳勢難招，又言：起如擋磋，落如鈎杆，是言其實也；起為橫，落為順，是言其虛也。起橫不見橫，落順不見順，是言其虛中存實也。起不起何用再起，落不落何用再落，起無形，落無形，起似蟄龍登天，落如霹雷震地，是實中含虛也。又云：起落二字自身平，是言無虛非實，其言：起落二字與心齊，言無實非虛也。綜之，有起就有落，即有實即有虛也，無虛不能顯其為實，無實則虛亦無著也。虛為涵養，實為作用，即是，起為去，落為收，無去則不收，無收何能再去，起落二字為學形意極要之指歸，不明乎此，難免有面牆之弊矣！學者宜三復斯言，勿得河漢識之。

# 虛實篇第九章

動靜亦有虛實也。術譜論動靜云：內五行要靜，外五行要動，靜為本體，動為作用，言其靜未見其機，言其動未見其跡，動靜已發未發之間，所謂動靜之真本也。即子思作《中庸》所云：喜怒哀樂之未發謂之中，所謂性之本體均屬於虛，故謂性也，發而皆中節謂之和，此由性而生情，故屬於實也。修道如是，修身者亦宜若是也。術譜又云：虛是精也，實是靈也，精靈皆有，方成其虛實也。即如《中庸》論：未誠而欲誠者，必先致曲，由曲而求誠，必誠則形，形則著，著則明，明則動，動則變，變則化，必至誠方能化推之。練藝者必先虛而後能實也，即由靜而後生動，動則必靈，方不為妄動。所云：心動身不動則罔然，身動心不動亦罔然者，此之謂也！姬公壽可詠動靜詩云：精養靈根氣養神，養功養道見天真，丹田養成長命寶，萬兩黃金不與人。由此觀之，學者不明動靜之理由，緣木求魚，必難得此中佳趣矣！

# 虛實篇第十章

以上數章論虛實之法，皆以一端而言。縱觀形意之全體，亦不能離虛實別有依歸，即如斬截裹胯挑頂雲嶺，出勢虎撲，起手鷹捉，鷄腿龍身熊膀虎抱頭等勢，亦不能離虛實二字。然而有虛中生實，亦有實中生虛者，亦虛本生虛，實中生實者。如斬截本屬乎虛，實在其中焉，近則用斬，遠則用截，如敵拳將至我身，躲之不及，或地勢狹隘，必用斬法以殺其力，使其人志不能逞，我則騰出一手可以遠擊，則我術中之化法也。截則亦然，然與堵法少異，堵則其勢未出，截則其勢已發，力尚未伸，我則用截法以殺其勢。裹胯均化法中之虛勢，挑頂即起勢，如挑擔之意，不屬於虛也，雲嶺亦化中由虛生實也，左雲而右嶺，如人以左手持拳向我胸中來擊，我左手持其腕，右手持其臂，微作擄勢，彼身一斜即無能為也，右手亦然。出勢虎撲，起手鷹捉，亦無不皆然，餘者可以類推。學者必明虛實相生之法，形意武中已得奧旨矣！

# 全體篇

# 全體篇第一章

一者數之始，十者數之終，自修身至此，身得其修，體已得其全焉。身為父母所有之身，至此可為父母之肖子，身為天地所生之身，至此可為天地之完人，身為國家有用之身，至此可為國家之柱石，身為一己保守之身，至此可以趨吉避凶。《大學》言：修身外則能齊家治國，以至於平治，內則誠意正心，以至格物，體無不具，用無不周，由於用力之久，一旦豁然而成，於是表裏精粗無不到，全體大用無不明矣！由是觀之，人修養全體豈易易哉！所以孟子有云：養其小體為小人，養其大體為大人，又云：養其一體而失其肩臂，而不知又安望得其全體哉！今練形意武術者，竟得其全體，真所謂：苟得其養，無物不長，苟失其養，無物不消，人可不急思練藝，以保其固有之天真哉！

# 全體篇第二章

按形意武術之本原，內根於達摩老祖益筋經按摩之八法，外取諸龍虎猴馬鮀鷄燕鷂蛇鮐鷹熊各飛潛動物之精能，相合而成是藝，此宋岳武穆王留此術之本原也。武穆王精於鎗法，為宋之名將，應幕於留守宗澤麾下為將，雅哥投壺，彬彬有儒士之風，尤好孫武兵法，善以少擊眾，以弱勝強，屢建奇功，遂成大將，凡有所舉，必謀定而後戰，故有勝無敗，故敵人語曰：撼太山易，撼岳軍難。常與諸將論兵法，言為將之道，仁信智勇嚴缺一不可。為童子受明師於鎗法，以鎗為拳，立法以教諸將，或鎗、或拳、或刀均為一式，大異於旁門之練藝者，槍為槍法，拳為拳法，刀為刀法，棍為棍法，五花八門，騰挪閃展，徒炫人眼目，愈練愈淺，終無濟於時用。若比諸岳武穆形意武術，豈可同年而語哉！學者欲養體育之全，舍是藝其奚以。

# 全體篇第三章

以武術之功，修養全體五行，第一要務也。按五行在內者，心肝脾肺腎，發於外為劈掤炮攢橫。心屬火，故炮拳發於心經，肝屬木，故發於外為掤拳，脾屬土，故發於外為橫拳，肺屬金，故發於外為劈拳，腎屬水，故發於外為攢拳。以五行生尅而論，劈拳似斧屬金，掤拳似箭屬木，金尅木所以劈拳能破掤拳，橫拳起落似彈屬土，木尅土所以掤拳能破橫拳，攢拳似電屬水，土尅水所以橫拳能破攢拳，炮拳似炮屬火，水尅火所以攢拳能破炮拳，火尅金所以炮拳能破掤拳，金生水所以劈拳能變攢拳，水生木所以攢拳能變掤拳，木生火故掤拳能變炮，火生土故炮能變橫，土生金故橫能變劈，故術譜讚云：拳法自來本五行，生尅裏邊變化精，學者要知真消息，只在眼前一寸中。若論內外相合法，心動如飛劍，肝動似火焰，肺動成雷聲，脾腎脇夾功，五行相合一處，放胆即成功。由此觀之，五行缺一體難全備矣！

# 全體篇第四章

五行雖全，八要不知，亦難得謂全體矣！三星不明，必倒五虎群羊陣之弊，三尖不對，必有身體偏斜之弊，三意不連，必定學業尚淺，三前不對，必定心動身不動，手腳均慵。內不提，神不振也，外不隨，稍不齊也，齒不叩，氣不均也，舌不頂，力易竭也，學者至此，三星已明，並無五虎群羊陣，三尖必對，以免左偏右斜之患，三意相連，脈絡而貫通，三前已對，心一動渾身俱動。內必提，絜綱領矣，外必隨，四肢皆震矣，齒即叩，氣不湧出矣，舌一頂，面不更色矣，一身前後左右上下四方長短廣狹，無不備精靈之氣，肆業至此，已得形意武術之標準矣！學者何不急學八要，以操其全體之功哉！

# 全體篇第五章

一身即明八要，三才亦不可不急講也。頭為天，兩腳為地，腹為人，分為三節，內藏八式。八式為何？頭為一式，取乎天一之意，足與膝各為一式，取乎地二之意，腹有五行，取乎金木水火土，屬於五臟心肝脾肺腎，言人生必需之物。故天能生物，地能長物，人能成物，故兼三才而兩之，易曰貳者非他，三才之道也。練藝必明三才，而後一身無不備之術矣！所以術譜有云：上節不明，渾身是空，中節不明，多出七十二把神變，下節不明，多出七十二盤跌。三才不明其害如此之大，故練是藝者必先識，頭為一式，腳為一式，膝為一式，兩手為一式，兩肘為一式，兩肩為一式，兩胯為一式，臀尾為一式，雖則三才八式，約不脫丹田之能力。丹田湧力，四大皆空，所以視人如蒿草，胆上似雷鳴，不怕身大力猛，遇之即敗，一身有恃無恐者，惟伏三之道也！

# 全體篇第六章

內外隔閡，一體猶有遺憾焉。大凡天下事，合則成，離則敗，此古今來不易之常經也。識觀天地相合則降雨，日月相合雲變色，兄弟相合則家道昌，夫婦相合則萬物生，兵將相合則戰必勝，五族共合則國必強，凡事如斯不勝枚舉。而練形意武術者，豈可使內外隔膜哉！然內三合要靜，外三合要動，內三合難練，外三合易全，何也？外三合有迹，內三合無形。外三合即是：手與腳合，膝與肘合，肩與胯合。術譜云：上法須要先上身，手腳齊到方為真，又云：手去腳不去則罔然，腳去手不去亦罔然，言手腳，非相合則不能往有功，此外三合之明証也。內三合：心與意合，意與氣合，氣與力合。心與意不合，必至扞格難通，意與氣不合，必至手齊腳不齊，氣與力不合，必至拳去空回。所以內三合，心一動，意即隨，氣要敵，力要催，手去腳去不失規，體育到此，已得六合之真體矣！

# 全體篇第七章

天下事有宜緩者，速則不達，天下事有宜急者，遲則必敗。試觀《詩·豳風篇》詠農人之詩云：晝爾于茅，宵爾索綯，極其乘屋，其始播百穀。作農者如是，練藝者亦然。我出勢迂緩，彼則早為之防，所謂出其不意攻其不備者，之謂何也？我法一出，令敵人迅雷不及掩耳，不怕敵人身大力猛，動則即敗，惟恃疾之一字有以當之。術譜云：兩手不離身，手腳去快似風，疾上更加疾，打了還嫌遲，此正形容疾之一字，為練形意武術保命金丹，學者豈可忽諸。試觀手腳法所云：去意好似捲地風，又云：打破硬進無遮攔，此於疾字加倍形容法，學者既得疾字要訣，而全體之備已無餘意矣！

# 全體篇第八章

人有四梢，即牙為骨梢，舌為肉梢，指甲為筋梢，週身毛髮為血梢，四梢缺一，體不全焉。舌宜頂上腭，令渾身肉體均活，別無偏枯之弊，今則肉體俱振矣。齒宜叩，令周身骨節靈通，而無不精之處，今則骨節靈通矣。甲宜平，今則手腳如一，而無畸輕畸重之患，所謂筋骨如一矣。毛髮宜振，令渾身血脈均振，貫徹於上下之間，練藝至此，周身幾無隙地，正俗語云：所謂毫髮無遺憾，波瀾到老成，《大學》所謂：表裏精粗無不到，一身之全體大用，無不明矣！自修身至此，內則誠意正心，外則齊家治國，一身之體統均備，學者至此，庶幾與形意武術之道不甚相遠矣！

# 全體篇第九章

四梢雖平，不明虛實之理，體亦難得安全矣！虛實者，真假之謂也，明乎真假之理，進退起落之勢，形意武術之功用已思過半矣！虛是精也，實是靈也，精靈皆有，方成其為虛實也，即精靈皆有，方成虛實之全體也。有精無靈，雖藝業精通，遇事拘泥不知隨時變化，亦難百戰百勝，體育尚少欠缺焉。有精有靈，武藝即通，而又隨機變化，與人交手，不怕敵人詭計百出，我則因應咸宜，亦不能令敵人討去半分便宜，所謂有精有靈，即有虛有實，有真有假也。由修身至虛實，練形意武術之功夫已至九成矣！以後勤加訓練，工夫日加邃蜜，雖不能遠邁乎古人，由此循序而進，得階而升，賢關莫阻，自至域可及入室升堂，岳武穆之功庶幾不墜矣！

# 全體篇第十章

天命之謂性，窮理盡性以至於命之謂誠，學形意武術者，人道也，故以培養丹田為入手之根基，所以修身篇居首。修身當何所據，非練形意武術不可，故武術篇次之，武術本於五行，故五行篇又次之，五行必得八要，故八要篇又次之，既明八要不知三才，尚不為功也，故三才篇又次之，三才既明內外不合，亦難統一而理，故六合篇又次之，內外既合用法迂緩，亦難出奇制勝，故疾篇又次之，知用法宜疾，四梢不振亦罔然也，故四梢篇又次之，四梢既已展開，不明虛實之理，全身無一點靈精之氣，修身之道尚未達到目的也，惟精靈俱備之後，內而丹田外至四梢，無處微有缺點焉，謂之全體宜乎不宜。

95 陣法篇

# 陣法篇

# 陣法篇第一章

古有陣法，今無陣法，何也？世紀不同也。上古車戰，中古馬戰、步戰，所用兵械亦異，無非刀斧叉棍槍棒等物，專講人力，巧則勝，劣則敗，故陣法不可不急講也。降至近世，由弓馬世界遞進而至藥彈世界，陣法逾歸無用矣！兩軍對壘亦是優勝劣敗，然不論人力拙巧，惟恃機器當先。敵人在數里之外，既用遠攻炮以擊之，少近又用野戰開花機關等炮以射之，又近方用馬步鎗，再近仍用手鎗，交手之伏百次不能遇一，陣法曷能施其伎倆。然用兵一途，可以百年而不用，不可一日而不備，故設陣法一門，為練形意武術者以備不虞，何也？設一人以二人相遇，彼則各持槍刀，我兩手空空，果有陳處女空手入白刃之能，亦可以勝之；假如我僅數十人，彼人多我數倍，此陣法必備所由來也！

# 陣法篇第二章

陣法之設，寬敞則易，狹窄則難，地方空闊與敵相遇，各負一嵎，用炮遠擊，炮彈一疎，知敵人前進，我則急布橫陣以待之。橫陣之法，如敵由何方來，我則向何方布橫隊以要之，彼此相隔不可過遠，不可太近，過遠散則易聚則難，太近碍敵人彈線，必至多傷我兵。行軍以不傷人為主腦，若以人墊道，有背天地好生之德，所以白起之罪，上通於天，布置疏密合宜，各用隨身軍械挖，影身伏於其中，我能視敵，敵不能視我，我得以用彈向彼勇擊，彼若退縮，我仍依布置如法而進，不將敵人逐出戰線之外而不止，敵人一出戰線即敗北也，我則軍樂奏凱歌唱而還營，此即橫陣行軍必用之要著也，下章言短兵接戰之要領。

# 陣法篇第三章

敵人仍進而不退，相隔數武聲氣相聞，此新戰法，所謂交手伏也，我軍官急喊上槍刺，哨呼一聲，伏軍麕集，仍向敵人成一橫陣，正新戰法所論原則之謂也。何謂原則？即是一橫起以橫收之謂也。我兵成橫隊之後，或以槍刺作長槍用，進步連還，可以遠取，或以槍刺作刀劍用，騰挪閃展，可以近攻，所謂成法在心，借形於手。猶必平夙勤加訓練，或五人一排，或十人一排，或數十人一排，步伐整齊，手腕敏捷，用劈掤炮攢橫五行法，或槍或劍，一往直前，或進或退，操縱自如，用法不為法所捆，方能操必勝之券也。孫武兵書云：養兵千日，用軍一時，是勉勵輕於視兵者，平日不振一旅，不演一師，一旦有事，驅羊鬥虎，眾之死生，國之存亡係焉，所謂三軍司令者此也！

# 陣法篇第四章

橫陣施於寬敞，若遇隘巷或山溝或樹木叢雜之處，應用縱陣，前後成行，占長不占寬，厚結兵力。前節向前而擊，兩腮向邪線而擊，兩邊向左右而擊，若與敵身臨切近，仍按排前近，紀律不亂，仍用五行劈刺等術。前軍稍退，後軍繼進，使餘勇可賈，不令力盡，雖亂不失整，忙則不失之暇，以整以暇，此古今來行軍必勝之道也。惟在平日教練精嚴，若教練不齊，安得能整，胸無紀律，大敵當前，張皇失措，晉荀林父以喪師辱國號為庸材，安得能暇。出兵之道等奕棋，多算勝，少算不勝，若憑一勇之夫，算亦勝，不算亦勝，漢留侯何貴乎！運籌帷握之中，決勝於千里之外哉！惟望職是役者鄭重思之。

# 陣法篇第五章

今之陣法無多，無非縱橫二式，縱利於窄，橫利於寬，惟在當局者因時制宜，不可擬於成法。如我軍按地勢宜用橫陣，用窺遠鏡察敵人之佈制，於我陣有不利，我不可入其術中，疾變縱陣之勢以待之。諸葛武侯論兵法云：用兵之道，令其變化不拘，神鬼莫測，令人不可捉摸，此必勝之道也。若膠柱鼓瑟，不察可否，不論是非，法從心生，從違任惟安，所謂臨事而懼，好謀而成。按練形意武術，陣法一門俱屬無用，惟目下此道盛興，三年後各營必要添此門功課，故肫肫告誡，不厭其煩，望軍籍同胞亦不可河漢斯言也！

## 陳法篇第六章

一陣名魚麗陣式，欲化縱橫均佊，陣之始編於東周列國鄭之高渠彌，法以五人為伍，每隊用五伍二十五人，縱橫均成一數。當戰齊之時，原車戰之法若按其排化之，正合宜今之步戰之用。步戰之法最利進攻退守左顧右盼，若用魚麗陣法，每排五人，縱橫一律，若令各邊排均各向正面看，幾成四方陣，即前清時代費大藥、放土槍、佛郎機等槍陣式，謂之方城子是也。若遇寬闊之地，令後三排分向前二排兩頭前後成二排，即成前篇所謂橫陣法是也。若遇狹窄地勢，令右三排向左二排後共成二排，即上篇所謂縱陣是也，變化隨心縱橫如意，此陣是也。

## 陣法篇第七章

橫陣可化圓形陣，其式者，敵軍少我一倍，我用此等陣以包勦之法，兩邊哨向前，中間稍退，敵人必結力向前我兩哨遞面，敵人如饅首餡，盡在我範圍中矣，敵人不幾全軍盡行覆沒，此等變化均非一定方鍼，隨時變遷者。未出師先預算某處宜若何布置，某處宜若何布置，及至大敵當前，倉皇失措，安所謂因應咸宜哉！惟在主司令者，胸有成竹，用無滯機，事變當前，能變事而不為事所變，斯為善於變化者矣！望後世治兵之家勤於訓練，博讀書史，處為純儒，出方可為名將，豈易易哉！豈易易哉！

# 陣法篇第八章

縱陣亦可化為古之所名長蛇捲地陣者，我軍一直而出，或雙行或單行，或數人一行或數十人一行，惟識地方之容納，定人數之多寡，敵人左多我軍左捲，敵人右多我軍右捲，亦可滅此而朝食也。當後漢時，諸葛武侯鬥陣辱司馬仲達時，即以一字長蛇陣變為長蛇捲地陣，仲達岌岌乎被擒，幸被行軍司馬郭淮救出。由此觀之，陣之一道貴乎變，如我機險已被敵人識破，我宜急變地方以對待之，若仍滯而不化，其不能害人反被人所害者，證之於古歷歷不爽。綜之，布陣惟在善變，不善變陣法必不精，偶一為之，亦是行險儌倖之一端，學者戒諸。

# 陣法篇第九章

陣法一門，宜於古而不宜於今，古之兩軍相見，以鼓進，以金退，兵刃既接，強存弱亡，以分優劣。所以設各等陣法，用重兵而困上將，此古陣法之設所由來也。降至今世，惟以槍炮當先，兩軍相隔數里，互相開炮，兵不見兵，將不對將，綜有公輸之巧、孟賁之勇，技無所施，區區陣法有何益哉！況形意武術一藝，是體育一科，非行軍之一路，姑於篇末存此數章，以補短兵接戰之不足。若使盛行於世，臨陣當先，恐貽笑於大方。若謂錄此數章以供諸生風朝月夕互相比較參觀之意，則可；若謂兩軍對壘衝鋒陷陣，則不可也，敢妄談哉！

# 陣法篇第十章

以上數章所言，無非縱橫二式，並無特別新穎，然由此而千變萬化，適出適奇，亦取之不盡，用之不竭，亦不可謂於行軍之道不無小補云。惟陣法一事，非記者所長，而變化一端，亦多竭蹶，言之殊多缺畧。惟望知兵之士，嚴行取締，料短取長，將此門指擇明白，令識者一望無餘，瞭如指掌，使學者身未至其地，已識其機，倘一旦身臨其事，操縱自如，不至張皇失措，未戰先北，貽笑世人也。若果如此，非特予一人之幸，亦社會之幸也，亦不祇社會之幸，亦天下後世用兵之幸也，切盼！切盼！

# 形象篇

# 形象篇第一章

龍為水族之長，其為物最靈。《禮記》云：物有四靈，麟鳳龜龍是為靈物可知也。生於大海之深處，故世人見之者甚少，其為物至尊，故專制時代擬諸人君之象，五經之中亦數見不鮮，惟《易》為多。如乾卦見龍在田、飛龍在天見群龍，雲從龍等，難以枚舉。推其為物，其在水族之中吸力最大，諸物為所轄，故擬諸至尊之象。形意武術論形象首取諸龍，取其有縮骨之能，即魏武帝清梅煮酒論英雄，以龍為喻云：夫龍能大能小，大則興雲吐霧，小則隱介藏形，即縮骨之謂也。練藝者得其屈伸之法，已得龍形之梗概矣！

## 形象篇第二章

虎為獸中之王，哮則生風。《易》云：風從虎是也。其性最猛烈，故人之好武則曰虎將，有威可畏。《詩》云：有力如虎，矯矯虎臣，其為多力之獸可知也。形意武術貴其象者，取其有善撲之勇，施耐庵云：虎有三撲兩剪之能，即此意也夫。所以姬公術譜咏兩肘云：肘要打去占胸膛，起手似虎撲羊，虎之能力在乎此也。至熊出洞、虎離窩，已將虎之形象描寫殆盡，惟學者勤打虎撲之式，兩肩用力，兩肘隨身，兩　裹胯，學撲羊之式，自得虎形之梗概矣！

# 形象篇第三章

猴為獸中最靈之物，其種類甚繁，難以枚舉，因其生產之地殊，故其名亦因之而異，猴其種類之總名也。是物生性最靈，以其得天地之精華獨厚，故其形似人，亦善學人操作，惟好動不好靜，故安逸時少，跳躍時多，世人多說心猿，此之謂也。身體藐小，蹻捷異常，上樹縱山，如履平地，他物罕能及之。形意武術取是象者，以其善縱也。細察猴之為物，其筋最長，故其身體柔軟，縱之最遠，躥跳所以靈便也。學是象者，先由達摩老祖益筋經入手，以長其筋力，而日就月將，得筋之能力，使身體靈活，方得猴形之真髓矣！

## 形象篇第四章

馬為良獸，北產者尤嘉，古人專講大宛良馬，此明證也。生性調良，善解人意，俗傳馬能救主，事不敢保其必無，可信其理之所有。試觀其子不欺母一節，其品格自不與群獸為伍。性善跑，草地產尤佳，蒙人之養馬與南人種地一徹，故人人善騎。形意武術之內，有馬之一象，取其意譜云：馬有蹟蹄之功，是取跳躐之能遠。試觀快馬之行程，至其極快之時，後蹄之印地能過前蹄一丈之外，武術取其能力在此。言練藝者，遠者用腳，近者用手，前腳用提，後腳用催，身體一存，即跳數武之外，操練久之，愈跳愈遠。客歲英國賽會，一華人跳英尺十九尺四寸，而奪頭籌，所跳之遠，無出其右者，亦可見所練之馬步精也。

## 形象篇第五章

鮀之一物，五經不見其字，《爾雅》未詳其形，惟《論語·祝鮀》：宋宗廟祭祀祝官名也，然六經不見，寔難察考。又有言係水獺之別名，又有水浮之四足虫之謂，攘攘紛紛，無可究竟。然據術譜所云：鮀有捍水之精，即此理推之，是物必生之於水，斷斷然者，能浮於水面，可與水為浮沈，不怕千丈之浪，萬頃波濤，履之亦如平地也，形意武術取其意在乎此也。細考武術鮀形練法，兩手穿插護頭而挄，來往有似抽絲之狀，揚左手左腳隨之，揚右手右腳亦然，此即鮀形也。姑存其形，以似博物君子可也。

# 形象篇第六章

鷄鳥屬，聲能司晨，種類甚繁，亦難考究，北方惟有家鷄、野鷄之分。今以家鷄言之，雄者善鬥，昔仲子路初見孔聖人，雄冠劍佩，仲由好勇，取善鬥之意也。如兩國相爭，以決雌雄，勇將謂之英雄，寶劍亦分雌雄。鷄能鬥之意也，形意武術之中有鷄形，譜云：取其有欺鬥之勇，觀鷄之體態，抬腿、竦身、拔胸、伸項，兩鷄相鬥，頭破血出，不少退步，誠善鬥者也。練形意武術者，欲學鷄形，細揣其抬腿竦身，鷄與鷄相鬥之狀態，庶幾得鷄形之要領矣！

## 形象篇第七章

燕，識時之小鳥也，秋南春北，寒暑得宜，種類亦不甚繁，然生育極廣，巢居於高樓大廈檐下房間。其頷黑毛，白肚，兩剪黃色，鳴聲嘎嘎者，謂之巧燕。性最潔，有糞啣出，不置窩內，生鶵亦然，人多愛之護之。又一種，頷下紫點，兩剪白色，語言呢喃之聲，謂之拙燕。性與巧者相反，人多惡之，此二者通謂之小燕。又有一種，成群大夥，居城樓宮殿之上，聲鳴似鼠，謂之麻燕。形意武術十二形象所言：燕有抄水之精，蓋指小燕而言也明矣！每春夏之間，江河水面有小燕來往，以身浮水，似占不占，似遊戲之意，形意家取是象者。如面向轉

123 形象篇

身不易，敵人斜向而來，祇得用燕子抄水之法，左手勾開敵手右手，翻身向彼下三路還手，即抓膽之一勢也，學者其知之否。

# 形象篇第八章

鷂者，小鷹也，生性最惡，自殘其羽族，然種類甚繁，惟有是癖者能辨別之；鷂者，是物之總名也。孟子云：為叢歐爵者鸇，《詩．小雅》取于：毀室名鴟鴞，亦是物也。唐太宗酷好是鳥，常手持之而弄之，見魏徵來匿於懷中，徵去鷂亦斃焉。戰國時，魏信陵君公子無忌最惡是鳥，常捕數頭而殺之，後世好是鳥者，不一而足，至前清時尤甚。形意武術載是鳥形，取其有入林之巧，試觀他鳥入林，皆直出直入，此獨特別閃翅而入，與他鳥不同。練藝者取其側身閃展之象，不怕敵人封固甚嚴，我用鷂形亦可斜身而入，惟在學善於因應者爾。

# 形象篇第九章

蛇，虫名，即世俗所謂長虫是也。是物形象最蠢，人見而多畏之，究其實，亦未嘗害人，其形象使然也。其色分五彩，青黃赤白黑等樣，因地之所生不一，故其色亦異。南方所產極大者謂之蟒，北方無之，今所言蛇，指北方所產之小蛇也。性畏鶴，善盤，見鶴即癱，亦如鼠之懼貓也。是物無他長，惟遵隙即入，形意武術取其意者在乎此。術譜云：蛇有撥草之精，學是形者，長於躲閃，善於進法，練之即精，不怕銅墻鐵壁，亦可遵隙而出也。譬之在狹隘之地，敵人將我堵住，傍處無可容身，我則用蛇行撥草之功，亦可側身而出，不能令人擠殺是地，非長於蛇形何得及此。

# 形象篇第十章

駘，俗名突鶻，鷹也。按鷹之名不一，端有所謂黃鷹者，有所謂大鷹者。古詩云：草枯鷹眼疾，又云：蒼鷹欲下先偷眼，又云：鷹隼出風塵，皆言黃鷹也。由是觀之，駘者亦鷹之別種也，又有言，駘者，鷹爪中之掌職。鷹講駘大駘小，駘大者力大能拿物，駘小者力薄不能拿物，此又一說也。按術譜所載：駘有豎尾之能，即術譜所云：臀尾為一拳，則其有撳動力，可知也。按形意拳練法，駘形係屬顧法，如人用雙手向我頭而擊，我兩手用力將彼手分開，然後用雙拳齊向彼腹還擊，此即駘形。細參考，是物掌力最大可知，駘者，見物兩翅用搧動力，然用兩掌搥之，此明証也。綜而言，十形之中均是顧法極多，望學者細心領會可也。

129 勇敢篇

# 勇敢篇

# 勇敢篇第一章

勇自心生，非由外至。孔子云：見義不為，無勇也；又云：仁者必有勇。由是觀之，人人有勇，無以鼓勵之，則勇無所感發而興起焉。若練形意武術之後則不然，外慕岳武穆之忠心耿耿，內秉於藝業精通，一旦有事，忠義憤發之心，浡然而不可遏，有不殺敵致果，効命於疆場者乎！日本三島小國一戰而勝英吉利，再戰而勝滿清，三戰而勝強俄，從此勝強加諸環球之上，謂非勇敢之心使然歟！況我華國地大物博，在環球稱為巨擘，人民四萬萬五千萬，除一半女子之外，下餘二萬萬二千五百萬。使人人無論仕農工賈軍警學皆練形意武術，再加寔業盛興、財政充足，一躍可加各國之上，諸同仁不禁拭目俟之！

## 勇敢篇第二章

仕者，萬民之表率也，居其位者，當如何潔己奉公，以盡公僕之責任。乃觀今之仕者，坐擁厚貲，盈千累萬，公退之暇，聲色貨利，是娛美女艷妓為樂，妻妾滿前，不啻古之肉屏風。內則自損天年，外則遺悞要政，於世有何益哉！何如於公事之暇，勤習形意武術，內則保養丹田，外則堅其筋骨，一旦有變，賈其餘勇，率其素練，民夫背城一戰，不至臨陣潛逃，可以保守境界，所謂上馬能擒賊，下馬作露布是也，正可擬。入則周公召公，出則方叔召虎，誰謂武能兼文，文人不武哉！仕者其勉諸。

# 勇敢篇第三章

古者，井田之法與人民計口授田，計田出兵，兵即是民，民即是兵，民無籌餉之勞，兵無擾民之累，法至善也，意良美也。自井田之法廢，其害曷可勝言，兵衹知持槍以衞社稷，民衹知執來耜以耘田，一旦有警，父不能顧子，兄不能護弟，拋田園、棄房產、捨妻子而奔逃，家財任賊蹂躪，慘目傷心，有如是也。何不於春耕夏耘秋收之餘，選各村精壯民夫，學習形意武術，擇各村殷寔之家、督率之官，發給槍械，編成號碼，交村正收存。倘有不虞，各村互相聯絡，守望相助，亦可以補兵力之不足，此即鄉團之意也。滿清道咸年間，各省倡亂，其得力於鄉勇居多，年代不遠，曷不尤而效之，惟望各省方面大員之提倡耳。

# 勇敢篇第四章

工者，執一藝以成者也。居肆成事，他無所長，即京師內外、大小商埠、各工場皆是也。然於課工之暇，亦有游戲一門，以舒其筋骨。然不過蹄球、打蛋、跳高、吉浪木、打鞦韆之類是也，此真以有用之精神，置之無用之地，倘國家多事，亦祇人云亦云，棄工逃走，徒增浩歎而已，有何益國家哉！若能於日省月試之餘，早學形意武術，外則身體精壯，內則有勇知方，有拳則勇，有勇則敢戰，若編成隊伍，使其平夙之信任者統領之，勉以有國則有家，有家方能有身，大義以勵之，未可不背城一戰，以補兵力之單薄，惟在監督之平昔指示耳！

# 勇敢篇第五章

商者，逐什一之利，以有易無，補各處生產之不足也，生命財產均在是焉。每見各富商大賈，於無事之時，亦花天酒地，局樓妓館等處，買笑追歡，惟日不足，倘有不虞，亦惟竊負而逃，棄財而不顧，誠為可惜。何不於持籌握管之餘，擇年力精壯者，每鋪各出一人學習形意武術，一人傳十，十人傳百，編成隊伍，稟明官家，自制槍械，勤加操練，有備所以無患。一旦國家多事，亦可假此以助軍威，未始非強國之一端。試觀英美各強國，均以兵佐商，我華國何不仿而行之。雖目下各商埠均有商團僱人荷槍保衛，然徒有虛名，毫無寔迹，果能有恃而無恐耶，望紳商富賈鄭重思之。

## 勇敢篇第六章

軍者，衛民者也，非擾民者也，所以軍出力以保民，民籌餉以養軍，軍民本相需為用者也。每見今之軍人，有事開差，到處擾害閭閻，稍有不遂，鞭撻隨之，黎民畏之如虎。鄉俗語云：人不當兵，鐵不打釘，我華國軍籍之名譽掃地矣！若遇戰事，譁潰潛逃者，亦數見不鮮，所謂勇於私鬥，怯於公戰者，非虛語也。望統兵大員，於朝夕兩操之餘，令人人學習形意武術，外養其精力，內保其天真，免以親上死長之方，使知有國家思想，臨陣自不至畏葸不前，其不出死力以衛國者，幾希矣！惟望知兵大員，率而行之，前途庶幾有賴矣！

# 勇敢篇第七章

巡警之設，所以衛商保民，每月捐款，亦屬不貲，應是役者，當如何激發天良，各盡職任。警界資格以津郡為上，奉天次之，京都又次之，終日除查街、站崗或與拉人力車為難之外，他無所長。何不於勤務之暇，令其練習形意武術，內可保身，外可衛商，善莫善於此也。心有主則不懼，不懼則有勇，倘有警變，何至棄械潛逃，知有私而不知公也。試觀客歲京都兵變，各警界為之一空，有阻擋變兵不使之搶奪者乎？有與變兵為難者乎？有臨變不懼者乎？風流雲散，幾與無警者等，可惜商民每月之血汗，養此無用之警兵，良可慨也！切盼內外廳丞稍事變通，無負巡警名目可也。

# 勇敢篇第八章

學界為各界萌芽之始，國家之興亡係焉，各強國每歲察學堂之多寡，知國家之盛衰。自中華反正以來，京師以及各商埠、省會，學堂林立，較之滿清時代學界，大有進步，然守舊不知維新，每多無益之舉。即如體操一門，仍與工界相等，不知變通，實為可惜。際此國家多事之秋，正宜及時興起學習形意武術，以為強國之基礎，從此人人身體可健，團體可結，不致流於散沙一脈，誰謂華國不可轉弱為強。在學界倡始之一端，惟望學界督辦諸公，鼓舞人材，去無益，添有益，使諸生知以國家為前題，勉為其難，不負天下人之仰望可也！

# 勇敢篇第九章

外人每笑華人勇於私鬥，而怯於公戰，是我華人漠視乎國家，重視乎己身，而不知，國家非一人之國家也。自民軍義旗一舉，天下響應，破除滿清專制之天下，一躍而為五族共和之天下，漢、旗、蒙、藏、回無論何等樣人，皆有担負國家責任。種族強，國亦隨之而強，種族弱，國亦隨之而弱，人人有偌大之關係，曷不急學形意武術，以徒遠大之謀哉！若果仕農工商軍警學各界，無分畛域，人人習練此藝，聯為一脈，以此作為五族共和吸力，共結為團體，未始非強國保種之一大關鍵，從此可與各強國永結盟好，環球人何敢再藐視華國哉！

# 勇敢篇第十章

目下廿一世紀列國競爭時代，強存弱亡，毫厘不爽，高麗、琉球、越南、緬甸、交趾、印度各小國所以不能自保也。我華國地大物博，人民號稱四萬萬五千萬，地之廣，人之多，環球莫與比隆也，因何與外人交涉，著著失敗，步步失機，人民團體不堅之故也。若果官視民如手足，推心至誠，民視官如腹心，遇事勇敢向前，不至坐觀成敗，上下一心，華國尚不危弱至此。惟望在上諸公，急提倡形意武術一門，使假此固結五族，團體痛癢相關，我華強盛指日而待。雖欠各國區區外債，償還亦何難之有，從此我華國萬歲，五族共和萬歲，岳武穆所遺形意武術萬歲，此作形意武術教科書之初衷也，亦諸同仁倡辦武士會之本意也，是盼！

# 形意武術教科書

張占魁 口述
喬慶春 整理

# 自叙

将欲转弱国而致之强，必先有以强其民，此武术之所以提倡也。在民国二年时，前冯大总统[①]方督直隶，余始纠合同志呈请冯总统，得立中华武士会于天津。阅[②]二年，冯总统任江苏督军，余在南京，复纠合同志呈请冯总统，又立中华武术研究社于南京。事属创办，多经困难，两会幸能成立。迩来[③]海内同志新学形意者以万数，其有志欲学而未得师者，尤加多焉。欲皆使之通明此拳，又岂亲授之所可得哉！是不可不作书也。昔在南宋时，武穆王岳飞[④]始传此拳，及明末有蒲东人姬公际可[⑤]者，始得王所著谱。深州刘奇兰[⑥]先生习之此拳，始传于直隶。先生以传于其子殿琛[⑦]及李存义[⑧]与余。余师事刘先生，幼而读姬公所得谱，以为其文深，人多不能明其言，不宜作今日之教科书也。而余以不文[⑨]，不能自作书，因口述以言，请汧阳乔善宜[⑩]先生笔之成文，润色之，得十三篇，百有三十章。文不避繁而求其详，言不避浅而求其明，庶[⑪]海内同志新学此拳者与欲学而未得师者，披而观之[⑫]，了然而悟，皆得以通明此拳，而体力日增，则武术将日益发达矣！夫武术之日益发达，则是强健之国民日益加多，而吾国其庶几强乎[13]！至书中不无错谬，尚望海内同人[14]指而正之。

中华民国四年直隶河间张兆东序

注 释

① 前冯大总统：冯国璋（1859—1919），字华甫，直隶河间（今属河北）人，本书作者张兆东先生的同乡，直系军阀首领，1911 年曾任清廷禁卫军总统。

② 阅：经历，经过。

③ 迩来：近来。

④ 武穆王岳飞：岳飞（1103—1142），南宋抗金名将。字鹏举，相州汤阴（今属河南）人。宋孝宗时追谥“武穆”，宁宗时追封“鄂王”，改谥“忠武”。所以后人敬称其为“岳武穆王”或“岳鄂王”“岳忠武王”。

⑤ 蒲东人姬公际可：姬际可，字隆风（或说龙凤、龙峰、隆峰等），生于明末清初，山西蒲州城东（今永济市西北）诸冯里尊村（今永济市张营镇尊村）人，是形（心）意拳有明确记载的第一代大宗师。

⑥ 刘奇兰：直隶深县（今河北省深州市）城内人，清末形意拳宗师，形意拳教育家。

⑦ 殿琛：刘殿琛，形意拳宗师刘奇兰先生的次子，清末民初的形意拳大师、形意拳教育家，天津中华武士会创始人之一，有《形意拳术抉微》一书行世。

⑧ 李存义：李存义（1850—1921），字忠元，直隶深县（今河北省深州市）南小营村人，清末民初的形意拳大师、形意拳教育家，天津中华武士会创始人之一。

⑨ 不文：指文化程度不高。

⑩ 汧阳乔善宜：乔庆春，字善宜，陕西汧阳（今陕西千阳县）人，生平不详。

⑪ 庶：幸，希冀之词。

⑫ 披而观之：打开观看它，即翻阅。披，揭开，打开。

⑬ 而吾国其庶几强乎：而我国也有望强大了吧。庶几，差不多。

⑭ 同人：同行，这里指武术界人士。

## 参考译文

要想将一个弱国转变成强国，必须先强健它的人民，这就是武术之所以被提倡的原因。在民国二年的时候，前清禁卫军冯国璋正任直隶省都督，我首次联合同志呈文请示冯总统，得以在天津成立中华武士会。过了两年，冯总统任江苏省督军，我在南京，又联合同志呈请冯总统，在南京成立中华武术研究社。两事都属于初创，经历了很多困难，两会才有幸能够成立。从那以来，海内同志新学形意的有上万人，其余有志要学而没有得到老师的更要多些。要让他们都懂得这种拳，又哪里是亲授所能做到的！因此不可以不著书。过去在南宋时，武穆王岳飞开始传授此拳。到明末，有一位蒲东人姬际可，才又得到岳武穆王所著的拳谱。深州的刘奇兰先生学到此拳，此拳才开始传入直隶。先生传给了他的儿子殿琛以及李存义和我。我师事刘先生，幼年就读姬公所得的拳谱，但觉得它的文字深奥，人们大多看不懂，不宜作为现在的教科书。而我因为文化程度不高，不能自己著书，所以口述出来，请汧阳的乔善宜先生写成文章，并加以润色，共写成十三篇，一百三十章。文不避繁而求其详尽，话不避浅而求其明白，希望能使海内同志新学此拳的与要学而没有得到老师的，阅读后了然而悟，都能够懂得这种拳，而体力一天天增强，这样的话武术也将日益发达了！武术的日益发达，就意味着强健的国民日益增多，而我国也有望强大了吧！至于书中的错误，还望海内同人加以指正。

# 叙

且[1]天下事，患[2]无实[3]，不患无名，盖实至者名自彰。每见世人有一善之能，互相谬赞[4]，立鼎垂碑[5]，以期久远。乃[6]人往风微[7]，无真迹可考。名不符实，亦只事过情迁，安能久而不变，逾世弥彰[8]哉！若岳武穆王则不然。王，宋人也，生于相州汤阴，讳飞，字鹏举，父早丧，事母至孝，家贫，好学不倦，尤好《左氏春秋》[9]与孙武十三篇[10]。及长[11]，应募于宗留守[12]帐下为将，雅歌投壶[13]，彬彬然有儒士之风。屡尚战功，名振当时。精通枪法，以枪为拳，立此法以教诸将，名曰“意拳”；均取龙、虎、猴、马、鮀、鸡、燕、鹞、蛇、骀等精能之法，又名曰“形意”。然自王遇变[14]之后，历数百年，湮没不彰。至明末清初时，有姬公名寿字际可[15]者，系蒲东诸冯人，访名师于终南山[16]，得王真传，并得拳谱数页。然经二百余年抄录，讹错甚多，未免失其奥旨。今有河间张君，字兆东，精是艺[17]，慨华国人多危弱，欲将是艺公诸[18]海内，使我四万万同胞转弱为强，遂在南京、天津等处，创办武士会及武术研究社，烦予作谱为教科书。予家鲜仓雅[19]，腹惭边笥[20]，抱歉滋[21]深。然既为强国起见，亦属义不容辞，因率尔操觚[22]，忘厥鄙陋[23]，因作十三篇，每篇十章，共计一百三十章，因名“形意武术”云。练法、用法皆寓其中，故以“修身”“武术”冠其首，“勇敢”殿其末。使后之业[24]是艺者，均为有用之成材，不至流为鄙匪，方不负张先生之本心也。是书一出，尤望海内精于是艺者，严为指疵，非特予一人之幸，实社会之幸也。

民国四年汧阳乔庆春善宜氏叙

注释

① 且：文言发语词，用在句首，与“夫”相似。

② 患：忧虑，担心。

③ 实：真实的学识、本领、功绩。

④ 谬赞：妄加赞扬。

⑤ 立鼎垂碑：立于鼎、垂于碑，记在鼎上、留在碑上。垂：流传，留存。

⑥ 乃：但，却，反而。

⑦ 人往风微：人死了，他的影响也微弱了。

⑧ 逾世弥彰：经历世变而更加显著。

⑨《左氏春秋》：即《左传》，又称《春秋左氏传》，儒家经典之一，春秋时左丘明所撰。

⑩ 孙武十三篇：即《孙子兵法》，春秋末孙武作，今本十三篇。

⑪ 及长：等他长大后。及：至，到。

⑫ 宗留守：即宗泽（1060—1128），宋名将，字汝霖，婺州义乌（今属浙江）人，当时任东京（今河南省开封市）留守，故称为“宗留守”。

⑬ 雅歌投壶：吟唱《诗经》中的“雅”诗，进行用小短箭投壶的游戏。后

常指武将的儒雅行为。

⑭ 遇变：遭遇变故，指岳飞被宋高宗赵构与秦桧合谋以“莫须有”的罪名杀害。

⑮ 姬公名寿字际可：作者张兆东先生根据《形意拳谱·六合拳论》中“姬寿云：文武古今之盛传，俱是国家之大典，上有益于社稷，下能遮祸避凶，此身不可阙也”等文字，认为此文作者姬寿即是在终南山得到岳武穆王拳谱并加工留传的姬际可宗师。所以他说“姬公名寿，字际可”。

⑯ 终南山：在陕西省西安市南，秦岭山峰之一，主峰海拔 2604 米。

⑰ 是艺：这种武艺。

⑱ 公诸：公之于。

⑲ 家鲜仓雅：家里缺少《三仓》《尔雅》那样的参考书。鲜：少。

⑳ 腹惭边笥：肚里的学问比不上边韶。边笥，后汉时边韶满腹经纶，他的肚子称为“边笥”，比喻满肚子学问就像装满典籍的竹笥。参见《后汉书·文苑列传第七十上》。

㉑ 滋：更加。

㉒ 率尔操觚：贸然地拿起木简就写。觚：音 gū，木简。这里是乔善宜先生自谦的话。

㉓ 忘厥鄙陋：忘记了他的鄙陋。

㉔ 业：从事于。

## 参考译文

天下的事，怕没有实际成绩，不怕没有名声，真实的成就达到了，声名自然会彰显出来。每每见到世人有一点好处，便互相谬赞，把事迹铸在鼎上、刻在碑上，以期流传久远。结果却是人走了，其事迹也很快失传，没有真迹可以征考。要是名不符实的话，也只是事过情迁，哪能久而不变，经历世代更替而更加彰显呢！像岳武穆王就不是这样的。岳王是宋朝人，出生于相州的汤阴县，名飞，字鹏举，父亲死得早，侍奉母亲极为孝顺。家里贫寒，然而好学不倦，尤其喜好《左氏春秋》与孙武十三篇。等到长大成年，应募当兵，在宗留守的帐下为将，雅歌投壶，文质彬彬，有儒士的风范。屡次建立战功，在当时名声很大。精通枪法，按照枪法编创拳法，将这种独特的拳法称为“意拳”，教给下面的将领，拳法吸取龙、虎、猴、马、鼍、鸡、燕、鹞、蛇、鲐等动物的精能之法，又称为“形意拳”。然而自从岳王遭遇变故之后的几百年间，这种拳法湮没不彰。直到明末清初的时候，有一位姬公名寿字际可的，是蒲东诸冯人，到终南山寻访名师，得到岳王拳法的真传，并得到数页拳谱。然而又经过二百余年的抄录，讹错之处很多，未免流失掉它的一些要旨。现有河间的张先生，表字兆东，精通这门艺术，感慨我国人大多体弱多病，想将这门技艺在国内公开，使我四万万同胞转弱为强，于是在南京、天津等处，创办武士会及武术研究社，请我写作拳谱当教科书。我家里缺少《三仓》《尔雅》这样的参考书，又没有边韶那样一肚子的学问，内心抱歉得很。然而既为了强国起见，也是属于义不容辞的事，因而率尔操觚，忘掉了自己的鄙陋，于是写了十三篇，每篇十章，共计一百三十章，定名为“形意武术”。因为练法、用法都包括在里面，所以将“修身”“武术”放在最前头，“勇敢”放在最后。假使后来从事这门技艺的人，均能成为有用之材，而不至于成为匪徒，才不辜负张先生的本心。此书出版以后，尤其希望海内精于此艺的行家，严格指摘它的瑕疵，那将不仅是我一个人的幸运，实在也是全社会的幸运。

# 形意武术教科书目录

# 修身篇

## 修身篇第一章

身为五行百体①之原，具有当尽之天职②，若不赋③完全体态，实有愧盛世之国民。每见当世之人，论品格，天资明敏；观家道，富有仓箱。而未及中年，而一身疵累④百出，不能寿享期颐⑤者何故？惜乎世人但知有身，而不知修之。故《大学》云：“一是皆以修身为本。”⑥《中庸》亦云：“修身则道立。”以此观之天下，无论具何等资格，皆不可以不修身。果然⑦，家道昌明，子孙繁衍，国亦因之而强盛，人何惮而不为之？

注释

① 五行百体：内部的所有器官和外部的所有肢体、关节。

② 天职：天然功能。

③ 赋：赋予。

④ 疵累：毛病。疵，小毛病。累，牵累。

⑤ 期颐：百岁之寿为期颐。

⑥“一是皆以修身为本”：《大学》：“自天子以至于庶人，一是皆以修身为本。”朱熹注：一是，一切也。

⑦ 果然：（要是）真能这样的话。果：果真。然：这样。

## 参考译文

身是五行百体的本原，具有应当尽到的天职，若不赋予它完全的体态，实在有愧于作为盛世的国民。每每见当世的人，论品格，天资明敏；看家道，充裕富足。但是人还未到中年，就疾病百出，不能享受期颐之寿，这是什么缘故？可惜世人只知道有这个身体，而不知道修养它。所以《大学》中说："从天子到普通百姓，一概都应当以修身为本。"《中庸》也说："能修身，则道得以确立。"拿这个标准来衡量天下的人，无论具有什么资格，都不可以不修身。果能这样的话，家道必然昌明，子孙能够繁衍，国家也因此而强盛，人们为何要惧怕繁难而不去做呢？

# 修身篇第二章

修身之道虽不一，然无非令人身体强壮，作为有用之国民。然皆宜以身修身[①]，不可惑于异端邪说。昔汉武帝好神仙之术，欲求延年益寿之方，天下遍求方士，殿前竖铜柱高数十丈，上置承露盘以接天浆，和金玉之屑而饮之，[②]随亡。是欲求长生，反促其寿[③]。是知有修身而不于身内求修身之法，别求异外之方；是知有修而不得其修之真法。究[④]与[⑤]一身何益？后世之学者，宜以此为前车之鉴。

注 释

① 以身修身：指在自身之内修身（见下文）。

② 昔汉武帝好神仙之术……和金玉之屑而饮之：据记载，元鼎二年（公元前115年）春，汉武帝在建章宫的大殿前筑起柏梁台，在台上树立高二十丈、周长七围的铜柱，柱顶制作有仙人手捧承露盘，来承接（天上的）露水，用这种“甘露”调和玉屑来饮用，据说这样可以长生。按，《资治通鉴》：“（元鼎二年）春，起柏梁台，作承露盘，高二十丈，大七围，以铜为之。上有仙人掌以承露，和玉屑以饮之，云可以长生。宫室之修，自此日盛。”

③ 反促其寿：反而折了他的寿。促：短，缩短。

④ 究：终究。

⑤ 与：对于。

## 参考译文

修身的方法虽然不止一种，但无非是令人身体强壮，成为有用的国民。然而都应该以身修身，不可以被异端邪说所迷惑。古时候，汉武帝喜好神仙之术，想求延年益寿的方法，找遍天下的方士。在建章宫的大殿前竖立二十丈高的铜柱，顶上设置承露盘来承接所谓“天浆”，和上金玉的细屑来饮用，不久就死了。这是想求长生，反而缩短了他的寿命。这是只知道修身而不在身内求修身的方法，反而在身外另求奇怪的方法；这是知道修身而不得修身的真法。这到底对于自身有何益处？后世的学者，应该以此为前车之鉴。

# 修身篇第三章

盖身以气为主。孟子曰："我善养吾浩然之气。"①昌黎公亦云："气盛，则言之长短与声之高下皆宜。"②为文如此，修身亦然。身内有五行③，外具四肢，以五行致四肢，内外相合，动静有常，举步有法，令其血脉贯通，筋骨活泼，未有不寿享遐龄者。孟子云："苟得其养，无物不长；苟失其养，无物不消。"④至于"夭寿不贰，修身以俟之，所以立命"⑤，此诚古今来不可易之常经⑥，诸君何不三复斯言⑦！

注 释

① 我善养吾浩然之气：出自《孟子·公孙丑上》。

② 气盛，则言之长短与声之高下皆宜：见韩愈《答李翊书》。原文为"气，水也；言，浮物也。水大，而物之浮者大小毕浮；气之与言犹是也：气盛，则言之短长与声之高下者皆宜。"昌黎公，即韩愈（768—824），唐宋八大家之首，世称韩昌黎。

③ 五行：指五脏。

④ 苟得其养，无物不长；苟失其养，无物不消：出自《孟子·告子上》。

⑤ 夭寿不贰，修身以俟之，所以立命：出自《孟子·尽心上》。

⑥ 常经：常道。

⑦ 三复斯言：多次复诵（体味）这句话。

## 参考译文

身以气为主导。孟子说："我善于培养我的浩然之气。"昌黎公也说："气盛，则语句的长短与声调的高低都是可以的。"写文章如此，修身也是这样。身的内部有五脏，外面有四肢，用五脏带动四肢，内外相互配合，动静符合常规，举步动作有一定的方法，让自身血脉贯通，筋骨活泼，没有不能享有遐龄高寿的。孟子说："只要得到滋养，没有东西不会生长；如果得不到滋养，没有东西不会消亡。"至于"寿命或短或长，都没有二心，只是修养自身等待天命的安排，这就是安身立命的方法"，这真是古往今来不可改变的常道，各位何不反复体味这句话！

# 修身篇第四章

修身之道，关系国家之强盛。使[①]以修身之法，一人传百人，百人传之千万人，我华国四万万人民，无不讲修身之法，其强可加[②]。环球之上，无如华人，事事仿于西人。西人修身之法，虽有专门，而普通之人，无论士农工贾[③]，均六日做事一日休息，以抒其脑力，似不枯寂，正《易经》所谓“七日来复”[④]之意。目下华人，除官场军警学等界，均有休息，农工商贾仍守其旧，何不于正事之余暇，学习武术，此亦修身之一端[⑤]。

注 释

① 使：假使。

② 其强可加：疑为“其强可知”。

③ 士农工贾：即士农工商，官员、农民、工人、商人。

④ 七日来复：出自《周易·复卦》：“复，亨。出入无疾，朋来无咎。反复其道，七日来复。利有攸往。”这里是说，按七天一个周期来工作和休息。

⑤ 一端：一种。

参考译文

修身之道，关系到国家的强盛。假使将修身的方法，一人传给百人，百人传给千万人，使我中国四万万人民，无不讲究修身的方法，那么他们自然可以更强健。地球之上，没有像华人这样，事事仿效西方人的。西方人的修身，虽然有各种专门方法，但他们的普通人，无论官员、农民、工人、商贾，均是六日工作、一日休息，来放松他的头脑，使脑力不致枯竭，这正是《易经》所说的“七日来复”的意思。眼下华人，除官场、军队、警察、学生等行业均有休息日以外，农民、工人、商贾仍然保持旧的习惯，没有周日的休息，何不在做正事的余暇，学习武术？这也是修身的一种方法。

# 修身篇第五章

我中华肇造[①]伊始[②]，列强林立，眈眈虎视，趁我国基础未固，皆有窥伺我疆土之心。我华人惟以修身之术，父以勉其子，兄以劝其弟；互相联络，固结团体，四万万同胞均如身之使臂，臂之使指，保守我中国；众擎易举，安见孱弱之中华，不变为强盛之中华？自兹[③]之后，庶几与列强永结盟好，保无四分五裂之虞，是[④]修身自强与我中华有密切之关系，人亦何惮而不修身？

注释

① 肇造：始建。肇：初始。

② 伊始：开端，开始。伊：助词，无实义。

③ 兹：此。

④ 是：如此（说来）。



参考译文

我中华民国创建之初，周围列强林立，虎视眈眈，趁我国基础还未稳固，都有窥伺我疆土的野心。我华人只有用修身的方法，父亲用它勉励儿子，兄长用它督促弟弟；大家互相联络，牢固地结成团体，使四万万同胞都像身指挥臂、臂指挥手指，保卫我中国；大家一起出力容易把东西举起来，哪里见得孱弱的中华，不会变为强盛的中华？自此以后，有望与列强永远结盟友好，不再有四分五裂的担忧，这样说来，修身自强与我中华有密切的关系，人们有什么担忧而不修身呢？

# 修身篇第六章

身为一己之身，修之可以保其全体。常见我华人，自知识一开，即骄奢淫逸，自损其天年[①]；放荡自恣，毁伤其肢体。未及中年，即四肢不仁[②]，五官倒置[③]，此以有用之身，置之无用之地，有识者惜之。谚云："苦海无边，回头是岸。"我同胞极宜猛省，兢兢业业以守其天真。曾子云："如临深渊，如履薄冰。而今而后，吾知免夫！[④]"后之修身者，当以此为龟鉴[⑤]。

注释

① 天年：自然寿命。

② 不仁：麻木，不灵活。

③ 五官倒置：各种器官功能错乱。

④ 如临深渊……吾知免夫：这是曾子临终时的话，解释见译文。

⑤ 龟鉴：龟镜，铸有龟形纽的镜子。这里指鉴戒。

参考译文

身是自己的身，修养它可以保护它的完整无损。常见我华人，自从知觉识辨的能力一形成，就骄奢淫逸，减损自己的寿命；放荡自恣，毁伤自己的肢体。未到中年，就已经四肢不利索，五官不协调，这是把有用的身体，扔弃到无用的地方，有见识的人为此感到痛惜。谚语说："苦海无边，回头是岸。"我同胞极应该猛然省悟，兢兢业业地保守自己的天然本性。曾子临终时说："我一辈子如临深渊，如履薄冰，不敢损伤自己的身体。从今以后，我可以免于患难了！"以后的修身之人，都应当把这几句话作为自己修身的参照。

# 修身篇第七章

身为父母所生之身，修之可为克家令子[①]。吾身自父母降生以来，顾复之情，无不曲尽[②]：提携保抱[③]者数年，出入扶持者数年。为父母者，莫不望其子寿享百年，永无灾害！及至成立，父母唯其疾之忧[④]，犹无时或释[⑤]。朝出而不归，父母必倚闾而望[⑥]；日暮而不还，父母亦必倚闾而望！为人子者，亦宜仰体亲心[⑦]，省身克己[⑧]，以慰父母奢望之心。奈何世人不察，亏体辱亲，令父母风烛残年，抱终天之遗恨。人必修身，方无愧家庭之肖子[⑨]。

注释

① 克家令子：能担当家事的优秀子孙。克家：原指能担当家事，《易·蒙》："子克家。"后也称能继承祖先家业的子弟为"克家子"。

② 顾复之情，无不曲尽：慈爱之情，无不婉转周到。顾复：《诗·小雅·蓼莪》："父兮生我，母兮鞠我……顾我复我，出入复我。"顾：回视。复：反复顾视，后多用来形容父母对子女的慈爱。

③ 提携保抱：搀扶带领，养育抱持。

④ 父母唯其疾之忧：出自《论语·为政》："孟武伯问孝。子曰：'父母唯

其疾之忧。'”意思是说，孟武伯向孔子请教孝道。孔子说：“做父母的，只是为孝子的疾病发愁。”

⑤ 犹无时或释：仍然无时无刻不能够释怀。

⑥ 倚闾而望：靠着门张望。

⑦ 亦宜仰体亲心：也应该向上体谅父母的苦心。仰：向上。

⑧ 省身克己：省察和克制、约束自己。

⑨ 方无愧家庭之肖子：才能不愧为家庭的肖子。方：才。肖子：像父辈那样有出息的孩子。肖：类似，相像。

### 参考译文

身是父母所生的身，修养它可以成为能够承担家庭重任、继承祖业的好儿子。自从我出生以来，父母对我的照看、养育之情，实在无微不至：抱着、养着好几年，拉着、领着好几年。作为父母的，无不希望他的孩子能够寿享百年，永无灾害！等到长大成人，父母怕他生病，这种担忧还是无时释怀。朝出而不归，父母一定靠着家门张望；日暮而不还，父母也一定靠着家门张望！作为儿子，也应该向上体谅双亲的心，（向下）检查自身的过失、克制不良行为，以安慰父母的殷切期望。奈何世人想不到这些，损害自己的身体、辱没父母的名声，让父母在风烛残年，抱憾至死。人必须修身，才能当得起家庭好儿子的称号。

# 修身篇第八章

身为天地肇造之身，吾修之，可为天地之完人。天地之生物不齐，动、植、飞、潜，而于人，钟①灵独厚。故含齿戴发②，异于群生③，五官四肢，全其本象，天地若故④示其优异，以显造物之奇。之在人者，亦宜仰⑤上帝之心，报答独厚。内则存心养气，保其天真⑥；外则蹈矩循规，以全其耳目。芸芸虽众，宇宙间岂有弃材？愿世自甘暴弃者，急宜修身，方无负造物栽培倾覆⑦之美意。世人奈何甘为天地之弃材，而不修身！

**注释**

① 钟：汇聚。

② 含齿戴发：长着牙齿和头发。

③ 群生：各种生物。

④ 故：故意。

⑤ 仰：即前文“仰体亲心”的“仰体”。体：体会。

⑥ 天真：天性，本性。这里指人得以维持生命的元气。

⑦ 倾覆：疑为“载覆”，即“地载天覆”。又作“覆载”。

## 参考译文

身是天地创造的身，我修养它，可以成为天地间的完人。天地创造动物、植物等各种不同的生物，而对于人，赋予的灵性特别优厚。故而让人类口中长着牙齿、头上长着头发，不同于各种生物。有五官、四肢，具备完整的功能。天地像是故意表现出人类的优异，来显示他创造物种的神奇能力。那么作为人来说，也应该理解上帝的苦心，加倍报答他的创造之德。对内则用心培养正气，保全自己的天然生命力；对外则循规蹈矩，不犯刑律，来保全自己的耳目器官不受损伤。这样天底下人虽然很多，但哪有废弃的人才？世间甘于自暴自弃的人，应该抓紧修身，才不辜负造物主栽培栽覆的美意。世人为什么甘心做天地间的弃材，而不修身呢！

# 修身篇第九章

身为中华民国之身，吾修之，可为有用之国民。我中华四万万同胞，除妇女之外，身体精壮之男子，不过十分中之五六。然较之西洋各国之人，尤多数倍。使[①]人人归真返本，保其固有之天真，我中华地大物博，人知自强，环球当列为第一！何至交涉之际，著著退步；财政困难，罗掘俱穷[②]。似强盛之华国，变为危弱华国，夫果[③]谁任其咎[④]？要皆[⑤]华人不修身有以致之，我同胞何仍作睡狮，而不猛然警醒哉!

注释

① 使：假使，假如。

② 罗掘俱穷：连罗雀掘鼠的办法都用尽了。罗：捕鸟的网，这里指用网捕鸟。掘：挖掘。

③ 夫果：果真，究竟。夫：作语助，用在句首。

④ 咎：罪责。

⑤ 要皆：总之都是。

参考译文

身为中华民国的身，我修养它，可以成为有用的国民。我中华四万万同胞，除妇女之外，身体精壮的男子，不过十分中的五六分。然而较之西洋各国的人数，还多出数倍。假使人人能够归真返本，保守他固有的天然生命力；我中华地大物博，人人都知道自强，那么我中华在全球当列为第一！何至于在国际交涉之际，着着退步；财政困难，连雀鼠都罗掘殆尽？像强盛的中国，变为危弱的中国这件事，究竟谁来承担这个责任？总之都是华人不修身导致的，我同胞为什么仍作睡狮，而不猛然警醒呢！

# 修身篇第十章

综之修身一端，处于今日之时局，将有迫不及待之势。外则强邻压境，侵我封疆[①]；内则蟊贼内讧[②]，摇乱我基础。四面楚歌，前途几难设想。惟赖我五族同胞[③]振刷尚武之精神，努力齐心，共捍卫我疆土。若仍醉生梦死，朝不虑夕，瓜分祸起，奴隶性成，国破家亡，坠巢之下难求完卵，岂不步越南、高丽后尘？当斯之时，欲脱奴隶之籍，则已晚矣！或有问于予曰："修身尚武当以何者为先？"予应之曰："亦惟习形意武术云。"

## 注释

① 封疆：疆界。《左传·昭公元年》："王伯之令也，引其封疆而树之官。"

② 蟊贼内讧：指当时军阀混战。

③ 五族同胞：辛亥革命后曾称汉、满、蒙、回、藏五个民族为"五族"。

## 参考译文

总之修身这件事，处于今日的时局，将有迫不及待的势头。外面则有强邻压境，侵占我的疆界；内则有军阀混战，摇乱我的基础。四面楚歌，前途几乎难以设想。只能依赖我五族同胞振作起尚武的精神，努力齐心，共同捍卫我的疆土。假如还是醉生梦死，朝不虑夕，那么等到瓜分之祸来了，奴隶的性格成为习惯，国破家亡，坠巢之下难有完整的鸟卵，岂不是要步越南、高丽的后尘吗？到那时，要想摆脱奴隶的身份，就已经晚了！也许有人问我："修身尚武应当以什么事为先？"我会说："也只有练习形意武术。"

# 武术篇

## 武术篇第一章

自古立国家者，有文事必有武备[①]。况当竞争时代，弱肉强食，若无武备以佐之，几难立于环球之上。当此之时，而仍以笔墨争长[②]，“一纸贤于十万师”[③]，则谬矣！我中华自变法[④]以来，兵学亦有专家，而步法整齐，阵图严明，亦自尽善尽美。而于体操一门，尚多未讲[⑤]。纵有跳高纵远之法，然不过近于游戏，而于养身之道，尚有憾焉。养身之道当以何者为急务？亦惟岳武穆王所遗形意拳术，诚良法也！

注 释

① 有文事必有武备：进行外交活动时必须有军事斗争的准备。出自《孔子家语·相鲁》：“定公与齐侯会于夹谷，孔子摄相事，曰：‘臣闻有文事者必有武备，有武事者必有文备。古者诸侯并出疆，必具官以从，请具左右司马。’定公从之。”

② 以笔墨争长：用笔墨来争长短。指文斗，外交斗争。

③ 一纸贤于十万师：出自清人褚人获所著《隋唐演义》第八十二回“李谪仙应诏答番书，高力士进谗议雅调”中赞扬李白的话：“干戈不动远人服，一纸

贤于十万师。”

④ 变法：指辛亥革命。

⑤ 尚多未讲：还大多没有讲习。

### 参考译文

自古建立国家的人，在进行外交活动时，必须同时有军事斗争的准备。何况现在正当竞争时代，弱肉强食，如果没有武备来佐助，几乎难以在世界上立足。在这个时代，若还仅仅是用笔墨来与外人争短长，固守“一纸文字超过十万军队”的落后观念，那就错了！我中华自辛亥革命以来，兵学方面也有专家，军队步法整齐，阵图严明，也自然是尽善尽美。但是对于体操一门，大多还没有重视。纵然有跳高、跳远的练习，然而不过近似于游戏，对于养身之道，还有缺憾。养身之道应当把什么事作为最要紧的呢？也只能是岳武穆王所留下的形意拳术，（这）真是最好的方法！

# 武术篇第二章

世之业技艺者[①]虽多，然亦不过练习腰腿灵活，眼明手快，五花八门，腾挪闪展，徒炫阅者之耳目，究于实用无所裨益[②]。安能久而不变，逾世弥彰哉！王，宋人也，世居河南相州。为童子时，得武术真传，然数百年湮没而未彰。直至清初，经诸冯姬公名际可者，始阐明其术。术盖本先天[③]，按阴阳、五行、三才、六合、七疾、八要、十二形象之法以成其术。大之[④]可捍卫社稷，次之[⑤]可趋吉避凶，诚至善之术[⑥]，较世业技艺之流，则有不可同年而语矣！

注释

① 业技艺者：从事武术技艺的人。业：从事。

② 裨益：益处。裨：增添，补凑。

③ 术盖本先天：这种武术大约是以先天之气为本。盖：推原之词。

④ 大之：往大的方面说。

⑤ 次之：其次。

⑥ 诚至善之术：真是最佳的武术。

参考译文

世上练习武术的人虽然多，然而大都不过是练习腰腿灵活、眼明手快等五花八门腾挪闪展的动作。这只是让观看的人感到眼花缭乱，而终究对于实用没有多少价值。（这样的武术）哪能历久而传承不衰，经世而更加兴盛呢！岳王是宋朝人，世代居住在河南的相州。少年时，得到武术的真传，然而这种武术在岳王之后的几百年中一直湮没不彰。直到明末清初的时候，山西蒲州城东诸冯里尊村的姬际可先生才将它发扬光大。这种武术以先天为本，按照阴阳、五行、三才、六合、七疾、八要、十二形象的法则来构成它的技术体系。从大的方面说，可以保卫国家，其次可以使练习者趋吉避凶，真是一种非常好的技艺，世上一般的技艺，不可与它同年而语！

# 武术篇第三章

术以养气为本，以先天养后天，以后天补先天。丹田气足，内达于五行，外发于四肢，正所谓“睟然见于面，盎于背，施于四体”①。加以练习之功，朝乾夕惕②，血脉贯通，筋骨坚壮，内外如一，手脚相合，动静有常，进退有法；手不虚发，发则必胜；心不妄动，动则必应③。所谓百战百胜者，此武术也。际此④群雄较力之秋，有强权，无公理，我华人人练习武术，何难转弱为强，在五洲之中，首屈一指？中华欲优于列强，舍武术其何以⑤！

注释

① 睟然见于面，盎于背，施于四体：出自《孟子·尽心上》：“君子所性，仁义礼智根于心，其生色也，睟然见于面，盎于背，施于四体，四体不言而喻。”解释见译文。

② 朝乾夕惕：形容一天到晚勤奋而谨慎，没有一点懈怠疏忽。这里指从早到晚勤奋练功 。《周易·乾》：“九三：君子终日乾乾，夕惕若厉，无咎。”乾：即乾乾，自强不息。惕：忧惕，戒惧。

③ 动则必应：心一动则必能很好地应付对方。

④ 际此：值此。

⑤ 舍武术其何以：离开武术还能用什么办法。

## 参考译文

武术以养气为本，用先天之气培养后天之气，用后天之气补充先天之气。将丹田之气练到充足，向内达到五脏，向外达到四肢，这正是孟子所说的“清和润泽反映在脸面，盈溢到肩背，体现在四肢的动作上。”再进一步加强练习，从早到晚勤奋不懈，使血脉贯通，筋骨强壮，内与外成为一个整体，手与脚相互配合，动静有一定的规律，进退有一定的方法；手不空发，手一发则必定取胜；心不乱动，心一动则身体必然响应。所谓百战百胜的方法，就是指这种武术。值此群雄较力的时代，有强权而无公理，倘若我国人人练习武术，何难使国力转弱为强，在五洲之中，成为首屈一指的强国？中国要想超过各强国，离开武术还能靠什么！

# 武术篇第四章

孔子云："仕而优则学"[①]，此盖学夫治世之道，而非今学保身之道也。然仕者[②]于保养身体一端，亦不可不急讲。内则各部，外则各省，官虽不同，理则一致。于公事之暇，携二三秘友，花天酒地，麻雀妓馆[③]，居楼番馆[④]等处，以为开智识，长精神，洞天福地[⑤]，而不知徒耗心术[⑥]，挥霍洋元[⑦]而已。而于一身，有何益哉！何不于公余，学习形意武术，一旦有警[⑧]，贾其余勇[⑨]，讲励[⑩]人民，荷戈持戟[⑪]，保卫疆土。黎民[⑫]赖以治安[⑬]，方尽公仆之责任，仕者何不急学武术?

注 释

① 仕而优则学：做官的有余力便去学习。出自《论语·子张》："子夏曰：'仕而优则学，学而优则仕。'"

② 仕者：做官的人。

③ 麻雀妓馆：即麻将馆、妓馆。麻将牌，也作"麻雀牌"，简称"雀牌"。

④ 居楼番馆：疑即"酒楼饭馆"，恐为地方口音所致笔误。

⑤ 洞天福地：道教所说的一种仙境，这里指享乐的地方。

⑥ 徒耗心术：白耗心力。

⑦ 洋元：银元。

⑧ 警：匪警、敌情。

⑨ 贾其余勇：出售剩余的一部分勇气和力量。贾：音 gǔ，卖，出售。《左传·成公二年》：“齐高固入晋师，桀石以投人，禽之而乘其车，系桑本焉，以徇齐垒，曰：‘欲勇者贾余余勇！’”

⑩ 讲励：鼓动奖励。

⑪ 荷戈持戟：扛起戈、拿起戟，即拿起武器。

⑫ 黎民：即众民。

⑬ 赖以治安：靠它来维持治安。

### 参考译文

孔子说：“做官有余力便去学习”，这应该是指学习治世的方法，而不是我们现在说的学习保身的方法。然而官员对于保养身体这件事，也不可不赶紧注意。中央的各个部，外面的各个省，岗位虽不同，理是一样的。在公事的空闲时间，带上两三个秘友，花天酒地，去麻将妓馆、酒楼戏院等处，以为在这里能够交流信息，调节精神，是理想中的洞天福地，而不知这只是白白耗费精力，挥霍钱财罢了。这对于自己的身体，有什么好处！为何不在公余之暇学习形意武术，一旦遇有匪警、敌情时，拿出自己的一部分本事，鼓动、奖励人民，拿起武器，保卫疆土，百姓得以平安，这才算尽到公仆的责任，做官的人何不赶紧学习武术？

# 武术篇第五章

古者寓兵于农[①]，故春蒐、夏苗、秋狝、冬狩，皆于农隙以讲武事，虽则治兵，不妨农事[②]。自商鞅相秦，井田之法废，兵与民遂分为两歧，于是兵不务农，农不知兵。[③]自兹以后，财政困难[④]，国家从此多事矣[⑤]！然际此[⑥]华国反正[⑦]之时，农人于武术一事犹[⑧]不可稍缓须臾也。夫农人于春耕、夏耘、秋收、冬藏之余，尤欲[⑨]施其有余之力以舒筋骨，何如于朝夕风雨之暇[⑩]，学习武术，可以防己，可以保家，倘有不虞[⑪]，亦可持挺[⑫]以御暴客[⑬]，农人习此，有百益而无一害，何惮而不习之？

注 释

① 寓兵于农：将兵员储备在农民之中。按：我国西周、春秋时，实行兵农合一制度，人民平时参加农业劳动，农闲时进行军事训练和演习（即集体打猎），战时参战。

② 故春蒐……不妨农事：因此春蒐、夏苗、秋狝、冬狩，都是在农事的间隙讲习武事。虽是整治军旅，却不妨碍农事。按，《左传·隐公五年》："故春

蒐、夏苗、秋狝、冬狩，皆于农隙以讲事也。”蒐：打猎。苗：夏季的田猎，有为苗除害之意，故称“苗”。狝：秋天出猎，《尔雅·释天》：“秋猎为狝。”《国语·齐语》：“秋以狝治兵。”狩：打猎，特指君主冬天打猎。

③ 自商鞅相秦……农不知兵：自从商鞅做了秦国的相国，将井田之法废除，兵与民就截然分为两支，于是兵不务农，农不知兵。商鞅（约前390—前338），战国时政治家。秦孝公六年（或说三年），任秦国左庶长，实行变法。相秦，做秦国的相国。

④ 财政困难：由于士兵不务农，军队要靠百姓养活，所以造成财政困难。

⑤ 多事矣：变故多了。

⑥ 际此：当此。

⑦ 反正：复归正道，指我国经过辛亥革命走上了民主共和之路。

⑧ 犹：即“尤”，尤其。

⑨ 尤欲：即“犹欲”，还要。

⑩ 朝夕风雨之暇：早上上工前、晚上下工后以及刮风下雨不能出工的日子。

⑪ 不虞：不测。虞：臆度，料想。

⑫ 持挺：拿起棍棒。“挺”：应为“梃”，棍棒。

⑬ 暴客：强盗，盗贼。《易·系辞下》：“重门击柝，以待暴客，盖取诸豫（指豫卦）。”

## 参考译文

古时候将士兵储备在农人之中，因此春蒐、夏苗、秋狝、冬狩，都是在农事的间隙讲习武事。虽是整治军旅，却不妨碍农事。自从商鞅做了秦国的相，将井田之法废除，兵与民就截然分为两支，于是士兵不再从事农业劳动，农人也不再参加军事训练。自此以后，财政发生困难，国家也从此不得安宁！然而值此中国复归正道之时，农人对于武术这件事尤其不可以稍缓片刻。农人在春耕、夏耘、秋收、冬藏的余暇，本来就想要使用他们的余力来舒展筋骨，那为什么不在一早一晚或者刮风下雨不干农活的空闲时间学习武术？既可以防身，又可以保家，倘若遇到不测之事，也可以拿起棍棒对付强盗。农人练习武术，有百利而无一害，为何怕繁难而不练习它？

# 武术篇第六章

百工居于艺场之中[①]，劳其筋骨，困其体肤[②]，犹必切错琢磨[③]以求制之愈精，而益求其精[④]也。然少年好事[⑤]，尚不觉其疲惫，以其筋脉灵活，血气贯通，稍缓须臾，即可复元[⑥]。及其老也，血气既衰，未有不伛偻[⑦]其身，拳曲[⑧]手足者，是未知学练形意武术之过也。诚能于日省月试之余[⑨]，灯影月光之际[⑩]，勤习武术，外不废其职业，内不倦其精神，诚一举而二得也。凡[⑪]人，劳其形者，疲其神；悦其神者，忘其形，管子不云乎哉?[⑫]愿工人及早学之。



注 释

① 百工居于艺场之中：各种工人在工场中做工。百工：西周时工奴的总称。春秋时沿用，并成为各种手工业工人的总称。《论语·子张》："子夏曰：'百工居肆，以成其事。'"这里泛指工人。

② 劳其筋骨，困其体肤：劳累他们的筋骨，困乏他们的身体。《孟子·告子下》："故天将降大任于是人也，必先苦其心志，劳其筋骨，饿其体肤，空乏其身，行拂乱其所为，所以动心忍性，曾益其所不能。"

③ 切错琢磨：应为"切磋琢磨"，这里指进行各种精细加工。《诗经·卫

风·淇奥》："有匪君子，如切如磋，如琢如磨。"

④ 制之愈精，而益求其精：制作的产品越精美，越要更加精美。

⑤ 好事：多事，好动。

⑥ 复元：恢复元气。

⑦ 伛偻：腰背弯曲。

⑧ 拳曲：蜷曲。

⑨ 日省月试之余：日查月考的余暇。日省月试，每日检查，每月考核。《礼记·中庸》："日省月试，既禀称事，所以劝百工也。"

⑩ 灯影月光之际：指晚上下工（今称下班）之后。

⑪ 凡：凡是，但凡。

⑫ 劳其形者……管子不云乎哉：劳累他的身体，就会使他的精神疲倦；愉悦他的精神，就会使他忘掉身体的劳累，管子不是说过这个话吗？《东周列国志》第二十一回："（管仲）对曰：'凡人劳其形者疲其神，悦其神者忘其形。'"

## 参考译文

各行各业的工人在工场中做工，他们筋骨劳累，身体困乏，还必须切、错、琢、磨来使制作的产品精良再精良。然而人年轻时好动，还不觉得多么疲惫，因为这时他们筋脉灵活，血气贯通，稍微休息一会儿，精神、体力即可恢复。等他们老了，血气已经衰弱，没有不伛偻身体，蜷曲手脚的，这是不知道学练形意武术的过错。若是真能在日查月考的余暇，灯影月光的时候，勤习武术，对外不荒废他的职业，对内又不会使他精神疲倦，真是一举两得。对于任何人来说，劳累他的身体，就会使他的精神疲倦；愉悦他的精神，就会使他忘掉身体的劳累，管子不是说过这个话吗？希望工人及早学习它。

# 武术篇第七章

商家携数万金钱，南天北地，东奔西驰，以谋三倍之利。倘有不虞，亦惟束手无策，仰屋兴嗟[①]，徒亏耗资本。人不带伤，亦云幸矣[②]，尚有何策以处之！商家于此，亦惟思患预防。勤习形意武术，动静有常，刚柔互济，手不空回，出则必胜。若遇敌人，施展三拳、三棍[③]之法，使敌人头破血出，抱头鼠窜，此亦人生大快事也！若苏子瞻[④]值此，必浮一大白[⑤]。商家何忍轻折其股本，而不急学武术，养身体，保财产，均善法也。



注 释

① 仰屋兴嗟：仰望屋顶发出嗟叹。仰屋：仰望屋顶，形容处于困境，无可奈何。兴：发出。《资治通鉴·汉明帝永平十四年》："及其归舍，口虽不言，而仰屋窃叹。"

② 亦云幸矣：也可以说是侥幸了。

③ 三拳、三棍：《形意拳谱·三拳像》："攒拳、裹拳、践拳是也。攒拳似闪电，裹拳类虎蹦，践拳似马奔，连环一气演。"类，像、相似。虎蹦，当即《水浒传》第二十三回"武松打虎"所说的"虎剪尾"。《形意拳谱·三棍像》：

“髲棍、炮棍、反背棍是也。髲棍只要猛，炮棍似风行，反背疾如矢，真乃在其中。”髲，《康熙字典》：“髲，蹋地声也。”

④ 苏子瞻：苏子瞻，即苏轼（1037—1101），北宋文学家，书画家。字子瞻，号东坡居士，眉州眉山（今属四川）人。

⑤ 浮一大白：满饮一大杯酒。《说苑·善说》：“魏文侯与大夫饮酒，使公乘不仁为觞政，曰：‘饮而不釂者，浮一大白。’”白：酒杯。釂：音 jiào，喝干杯中酒。本来是说罚酒，后来称满饮一大杯酒为浮一大白或浮白。

## 参考译文

商家携带数万金钱，南方北方，东奔西跑，以谋求几倍的利润。倘若遇有不测之事，也只能是束手无策，仰望屋顶发出叹息，白白亏耗资本。人没受到伤害，就算幸运的了，还有什么办法来对付呢！商家在这种情况下，也只有想办法加强预防而已。假如平时勤习形意武术的话，自身一动一静都有法度，刚劲与柔劲相互协调，出手必然取胜，不会落空。若是遇上强盗，我方施展三拳、三棍的方法，打得贼人头破血出，抱头鼠窜，这也是人生一大快事！假如苏子瞻遇上这么好的事，也一定会满饮一大杯酒来庆贺的。商家为何忍心轻易折损股本，而不赶紧学习武术，（它）对于养身体，保财产，都是很好的方法。

# 武术篇第八章

兵，凶器也，可以百年而不用，不可一日而不备。际此时代，若无军旅以佐之，其国几难立于五洲之上。历观[1]十九世纪各统兵大员，亦均以技艺、武术为重，每当挑选数军作管带亲勇[2]。然所学，亦不过花刀花枪，徒糜[3]粮饷，究无补于实用。当我中华实事求是之秋，盍不于各军操演之余，学习武术，进退有法，击刺有方[4]？若遇敌人，未有不出奇制胜者。曩者，日俄失和，兵端衅起[5]，日所以胜俄者，由击刺之法精也，我军人当有鉴之。



注 释

① 历观：逐一地看。

② 每当挑选数军作管带亲勇：当为“每当此时，挑选数军作管带亲勇”。每当此时（即进行军事技术、武术训练时），就会趁机挑选军事素质好、技术水平高的若干名军人升为管带、用作亲兵。管带：清末新军制，统辖一营的长官称为管带，海军的舰长也用此称。这里指一般基层军官。亲勇：亲信的兵勇，即高级军官的卫兵。

③ 徒糜：白白耗费。

④ 进退有法，击刺有方：进退、击刺均有方法。

⑤ 曩者……兵端衅起：按，这是指1904年至1905年发生的日俄战争。衅，事端，争端。

### 参考译文

武器是一种凶器，可以一百年不用，不可以一天不备。在当今时代，若无军队来保卫，国家几乎难以在五大洲上立足。我们一个个回看十九世纪的著名将领，（他们）也都很重视技艺、武术，每每挑选军事素质好的人来做管带、亲兵。然而这些人所学的，也不过是些花刀花枪，白白浪费国家的粮饷，终究不能实用。在这个国家多事的时代，何不让各军在操演普通军操之余，学习武术，使军人们进退有规矩，击刺有方法？这样，若遇敌人，没有不能出奇制胜的。前些年，日本和俄国不和，起了战争，日本所以能战胜俄国，就是由于日本军人的击刺法精良，我国军人应当借鉴它。

# 武术篇第九章

巡警[1]之设，专为保护人民，所以有捕盗捉贼之责。若无武术以保身，难免有不虞之虑[2]。若当白日青天之下，尚可施其计巧；若黑暗之时，我明彼暗，纵有枪械，亦无所施。困兽犹斗，况贼人生死相关，安得不拼命逃走者乎！是[3]当之者死，遇之者伤，致贼人漏出罗网，岂不可惜！惟有学形意武术，设有是警，挺身而出，三拳、三棍将贼擒，保人民治安，尽警士责任。惟望警界方面诸公，于各区聘请武术教员，众警士于勤务之暇，均得学习武术，于治安之策，亦不无小补[4]云[5]。



注 释

① 巡警：巡逻警察，这里泛指警察。

② 不虞之虑：料想不到的灾难。

③ 是：因此，于是。

④ 不无小补：指多少有一点益处或多少有一点帮助。

⑤ 云：这里是做语末助词，无义。

## 参考译文

巡警的设立，是专为保护人民的，所以巡警有捕盗捉贼的责任。(他们) 若没有武术来保身，难免有料想不到的灾难。若是在大白天遇到事情，还可以施展计巧 (使用枪械)；若是夜里黑暗之时，我在明处，对方在暗处，纵然有枪械，也不好使用。被困住的野兽尚且要跟人斗，何况对于贼人来说生死相关，哪能不拼命逃走呢！因此谁挡道谁死，谁遇上谁伤，导致贼人漏出罗网，岂不可惜！惟有学形意武术，假设有这种警情，我巡警就能挺身而出，三拳、三棍将贼擒获，保人民平安，尽警士责任。只希望警界方面各位领导，在各区聘请武术教员，使众警士在勤务之余，均能学习武术，这对于治安的策略，也不无小补。

# 武术篇第十章

学界为各界萌芽之始[①]，必令其据有根基，方可为幼学壮行[②]之实迹[③]。目下各学堂于学生功课之余点[④]，亦设有抛球、打蛋、蹦高、纵远、跳濠、走浪桥行木种种杂技，以舒其筋骸[⑤]，此皆以有用之精神，置之无用之地，辜负光阴，无所取益。不如学习武术一门，尚庶几[⑥]乎。日后不论居乎[⑦]仕、农、工、商、军、警、学等界，均绰绰有余，不必再起炉灶[⑧]，自能各尽其职。学者于形意武术，亦当急于进取，不可稍宽也。



注 释

① 学界为各界萌芽之始：学界是各界人才萌芽的开始。按：学校是为各行各业培养人才的，学生是各行各业的储备人才，所以这么说。

② 幼学壮行：幼而学之、壮而行之，幼年时学习一门技艺，壮年时运用、实践它。《孟子·梁惠王下》："夫人幼而学之，壮而欲行之。"

③ 实迹：真实事迹，实实在在的业绩。

④ 余点：课余时间。点：钟点。

⑤ 筋骸：肌肉、骨骼，即筋骨。

⑥ 庶几：差不多。

⑦ 居乎：处于，就职于。

⑧ 再起炉灶：指再补课，补习武术。

## 参考译文

学界是各界的开始，（学生）必须在学校打下坚实的根基，才能做出幼而学之、壮而行之的真实业绩。眼下各学堂在学生的课余时间，也设有抛球、打蛋、跳高、跳远、跳濠、走浪桥行木等种种体育项目，来舒展他们的筋骨，但这都是把有用的精神，放置在无用的地方，辜负光阴，得不到什么好处，远不如学习一门武术更有意义。日后不论就职于仕、农、工、商、军、警、学等行业，（他们的）身体素质都能绰绰有余，不必再重新补习武术，自然能够各尽其职。学生对于形意武术，也应当抓紧学习，不可稍有宽缓。

# 五行篇

## 五行篇第一章

五行以金为首[①]，金者，坚物也，金银铜铁锡皆属焉。于四方则在西，四时为秋，五味作辛，五脏从肺，五官属鼻，于物则从革[②]，于武术之中则可作劈法之用。学者欲学劈法，则前手伸出，似直非直，微形弯曲，手指骨节亦然；后手至肚脐，亦如前手。前手若动，脚亦随之而动[③]，后手亦如是。至术[④]所谓手与足合，循环往返而不息。久之，周旋中规，折旋中矩[⑤]，心一动，手足随之而动。所谓成法[⑥]在心，借形于手。学者解此，则于形意武术之功，料得梗概矣！



注 释

① 五行以金为首：五行为金、木、水、火、土，金在第一位。

② 于物则从革：作为一类物质，它的性质是能够顺从人意而改变形状。从革，顺从人意而变革，《尚书·洪范》："水曰润下，火曰炎上，木曰曲直，金曰从革，土爰稼穑。"

③ 前手若动，脚亦随之而动：前手一动，则前脚进，后脚蹬，同时而动。

④ 术：当指"术谱"，即拳谱。

⑤ 周旋中规，折旋中矩：曲线运动符合规的标准，折线运动符合矩的标准。

这里泛指劈拳动作中规中矩。

⑥ 成法：既定的方法。

## 参考译文

五行之中，以金为首，金是坚硬之物，金、银、铜、铁、锡都属于这一类。在四个方位中位于西方，在四季之中为秋季，在五味之中为辛味，在五脏之中从属于肺，在五官之中属于鼻。作为一类物质，它的性质是能够顺从人意而改变形状；在武术之中则可作劈法用。学者要学劈法，则前手劈出，手臂要似直非直，稍微弯曲，各手指骨节也如此；后手塌在肚脐处，要领也像前手一样。前手一动，则脚也随之而动，后手动也如此。至于拳谱所说的手与足合，应当循环往返而不停。经过长久练习，可以做到中规中矩，心一动，手足就随之而动。所谓心里有既定的方法，借助于手足表现出来。学者理解这些，则对于形意武术，料想已经得到一个大略了！

# 五行篇第二章

金既为坚物，可作刀斧之用。劈法属金，如手持砍刀劈物之状；或持刀、戟、斧、剑，亦如空手之状，不必改其初衷。若与人对敌，前手落空，后手即随之而到，正是换手不换着，步亦随之走。术谱有云：三回九转是一势，势怕人间多一精，一精知奇万事精。取之不尽，用之不竭，是在学者善于变通耳。然金能克木，是以劈法能破搠法，何也？搠法属木故也。



参考译文

金是坚硬的物质，可以按刀斧的用法来用。劈法属于金，徒手劈击，就像手持砍刀劈物的样子；反之，手持刀、戟、斧、剑劈击，就像空手一样，不必改变徒手劈的要领。若与人对敌，前手万一落空，后手立即随之而到，正是换手不换招，步也随着走。拳谱上说：三回九转是一势，势怕人间多一精，一精知奇万事精。取之不尽，用之不竭，这在于学者善于变通罢了。金能克木，因此劈法能破搠法，为什么？因为搠法属木的缘故。

# 五行篇第三章

其次是木，木是柔中坚物也，植于土者，皆其属焉[①]。于四方则在东，四时为春，五味作酸，五脏是肝，于物则作曲直[②]，在武术之中宜作揣术。欲学揣法，两手握拳，亦如劈法之状，两腿向前迈步，极力用力，如将太山推倒之势。正所谓：上法须要先上身，手脚齐到才为真。至习练既久，丹田气足，手与心合，动静如一，得心应手，学者于形意武术已思过半矣！

注释

① 皆其属焉：都是它这一类。属：类。

② 于物则作曲直：作为一类物质，它的性质是能曲能直。

参考译文

其次是木，木是柔软物质中的坚挺物质，栽植在土中的各种植物，都是它这一类。在四个方位中位于东方，在四季之中为春季，在五味之中为酸味，在五脏之中属于肝。作为一类物质，它的性质是能曲能直；在武术之中，则适合做揣术。要学揣法，先将两手握拳，跟劈法一样，两腿向前迈步，极力蹬进，就像要将泰山推倒的势头。正像拳谱所说的：上法须要先上身，手脚齐到才为真。到练习久了，丹田气充足，手与心密切印合，动作成为一个整体，得之于心、应之于手，这时，学者对于形意武术已经理解掌握一大半了！

# 五行篇第四章

木为柔中之坚物，其材可作栋梁之选。武术搠法属木，用之者亦如以手持物作搠人之状，如手持长杆、短棍，使用亦如空手相同，不必另生他法。若与敌相持，即双手握拳，随高打高，随低打低。术谱云：两手出洞入洞紧随身，两手不离身，手脚去快似风；疾上更加疾，打了还嫌迟。其法正所谓：始如处女，终如脱兔①者。学者推行尽力②，鼓舞尽神③，“神而明之，存乎其人④”矣！然搠法能破横法，横法属土，是以木克土也。

注释

① 始如处女，终如脱兔：指军队未接战时像未出嫁的姑娘那样静默持重；一旦接战，就像逃脱的兔子那样迅速。处女：未嫁的女子。脱兔：逃跑的兔子。《孙子·九地》：“是故始如处女，敌人开户；后如脱兔，敌不及拒。”

② 推行尽力：实际操练以尽显它的力量。推行，推广实行，这里指大家都要将学到的规矩、方法实际去操练，而不是只学不练。这在《周易》上叫作“通”，即易理（这里指拳理、拳法）得到了贯彻实行，《周易·系辞上》：“推而行之谓之通”。

③ 鼓舞尽神：鼓之舞之以尽显它（这里指拳法）的神奇。鼓舞：激发，振作。《周易·系辞上》："子曰：'……鼓之舞之以尽神。'"

④ 神而明之，存乎其人：神而明之，在于其人的修养和德行。神而明之，指洞察世间的事理（这里指拳理、拳法）。按，《周易·系辞上》："极天下之赜者，存乎卦；鼓天下之动者，存乎辞；化而裁之，存乎变；推而行之，存乎通；神而明之，存乎其人；默而成之，不言而信，存乎德行。"

### 参考译文

木是柔软物质中的坚挺物质，木材可以选作栋梁。武术中的擸法属于木性，使用时也像手持兵器作擸人的样子。反之，假如手持长杆、短棍使用的话，也跟空手相同，不必另外使用别的方法。要是与敌相对，就双手握拳，随高打高，随低打低。拳谱说：两手出洞入洞紧随身，两手不离身，手脚去快似风；疾上更加疾，打了还嫌迟。这种方法正是：始如处女，终如脱兔。学者要能实际操练以尽显它的力量，激发振作以尽显它（这里指拳法）的神奇，（到习练久了，）就会达到神明的境界了！擸法能破横法，这是因为擸法属木而横法属土，而木能克土。

# 五行篇第五章

中央属土，万物皆育其上焉。于四方则在中，五味属甘，五官属鼻[①]，在武术之中则为横法，以其横亘于天地之中。学者欲练横法，舒身下气[②]，垂肩坠肘，两手握拳或掌均可。前手用掌，后用拳，彼以直来，我以横往，要步斜身[③]。纵横往来，目不及瞬[④]。所谓“起横不见横[⑤]”，方为善用横；武术离却[⑥]横，诸法不能行。是武术必用横，犹人不可一日离土也。学者解[⑦]此，已得横法真传矣！

注释

① 五官属鼻：原文误，应为“五官属口”。

② 舒身下气：松开身体，气沉丹田。

③ 要步斜身：即拗步斜身，“要步”是“拗步”的方言发音，异侧手脚在前为“拗步”。

④ 纵横往来，目不及瞬：忽而纵向移动、忽而横向移动、忽而向前进、忽而向后退，敏捷迅速，使敌人连眼都来不及眨（更何谈防御、应对）。

⑤ 起横不见横：起手用横拳，但是看不见拳的横向运动。

⑥ 离却：离了。

⑦ 解：理解，明白。

## 参考译文

中央的位置属于土位，万物都生育在它上面。在方位之中位于中央，在五味之中为甜味，在五官之中属于口，在武术之中则为横法，因为它横亘于天地的中间。学者要练横法，必须将身体松开，气沉丹田，垂肩坠肘，两手握拳或掌均可。前手用掌，后手用拳，他直着来，我横着去，拗步斜身。忽纵、忽横、忽去、忽回，使他连眼都来不及眨。所谓“起横不见横”，才是善于用横；武术离开了横，各种方法都行不通。因此武术必须把横作为基础，就像人不可一日离开土。学者理解了这个道理，已经算得到横法的真传了！

# 五行篇第六章

土生于火，静物也，金木水火皆寓其中焉。学者欲用横法，或持刀戟，或用空手，势虽不同，理则一致。若无对敌[①]，彼一往直前，我以横法劫[②]其力，使不得伸[③]，我可以蹈隙[④]而入。敌人虽有伎俩，亦无所施，我得以上下其手[⑤]，展其余力[⑥]，令敌人捉摸不定，此百战百胜之真诀也！土生于火，是横法来自炮法。然亦能破钻法，钻属水，是亦以土克水也。

**注释**

① 若无对敌：疑为“若与人对敌”。

② 劫：夺。

③ 伸：伸展，施展，发挥。

④ 蹈隙：顺着空隙。

⑤ 上下其手：顺着空隙上下击敌。

⑥ 展其余力：施展自己的剩余力量。按：我用横力劫夺对方的攻势（力）时，已经消耗了一部分我方的势（力），此时对方空隙已露，我再接着用剩余的势（力）顺隙而进，所以说“余力”。

参考译文

土从火生，土是静止之物，金木水火都包含在它里面了。学者要用横法，或者手持刀戟，或者空手，架势虽然不同，横的原理则是一致的。若与人对敌，他一往直前进攻，我则用横法劫掉他的力，使他的力到不了我身，这样我就可以顺着（敌人）力量的空隙打进去。敌人虽有手段，也无法施展，而我得以上下其手，舒展自己的力量，让敌人捉摸不定，这是百战百胜的真诀！土从火生，所以横法来自于炮法。然而也能破钻法，钻属于水，这也是用土克水。

# 五行篇第七章

水，柔物也，江河湖海均蓄焉。四方则在北，四时为冬，五味属咸，五脏属肾，形则润下①，在武术之中则为钻法，因其有隙即入，与水相同，故属水也。欲学钻法，肩、肘、手腕横生裹力②，使人不能攻入，此与横法均是顾法③，又曰守法。术谱云：先打顾法后打人，此之谓也。武术必用钻法，钻属水，犹人不可一日无水也。学者解此，顾法不遗余力④矣。

注释

① 润下：向下润湿。《尚书·洪范》："水曰润下"。

② 肩、肘、手腕横生裹力：在向前上方钻击的同时，肩、肘、手腕要含有横向的裹力。

③ 顾法：防守的方法。

④ 不遗余力：即"不遗余意"之意。

参考译文

水是柔性之物，江河湖海都蓄着水。在四个方位中位于北方，在四季之中为冬季，在五味之中为咸味，在五脏之中属于肾，它的性质为向下润湿。在武术之中则为钻法，因为它只要有一点空隙就往里钻，与水的性质相同，故而属水。要学钻法，必须在向前上方钻击的同时，肩、肘、手腕含有横向的裹力，使人不能攻进来，这与横法都是顾法，又称为守法。拳谱说：先打顾法后打人，就是说这。武术必须用钻法，钻属于水，就像人不可一日无水。学者理解了这个道理，顾法就没有什么不明白的了。

# 五行篇第八章

水生于金，柔物也，而刚则不能胜焉。其法本生于劈，而搠法又寓其中。其术膝肘相合[①]，用压裹之力[②]，任敌人劈胸而入[③]，坚强不屈。我用柔化其刚，彼力一懈，我即蹈隙而入，随步进取。所谓：出其不意，攻其不备也。纵[④]敌封固甚严，闭关自守，亦难当无微不入之水。所以古人用水以胜人者，比比然也[⑤]。钻法能生搠法，又能破炮法，炮法属火，是亦以水克火也。

注 释

① 膝肘相合：前膝微纵、正对前方，后膝扣夹（配合后脚扣扭），两肘下垂、前肘垂裹，这叫作“肘与膝合”，即“膝肘相合”。

② 压裹之力：既向下压、又向里横裹的力。

③ 劈胸而入：照胸打来。劈：正对着。

④ 纵：纵然，纵使。

⑤ 比比然也：比比皆是。比比：到处，处处。然：这样。

参考译文

水从金生，是柔性之物，然而刚性的东西却胜不了它。这种钻法本来是从劈法生出来的，而揣法又包含在里面。它的要领是膝肘相合，用既向下压又向横裹的力，任凭敌人当胸打来，顽强不屈。我用柔劲化掉他的刚劲，等他的力一松懈，我便乘隙而入，随着步法进去攻取对方。这就是所说的“出其不意，攻其不备”。纵然对方封闭得很严，紧密防守，也难以挡住无微不入的水。所以古人用水来胜人的，比比皆是。钻法能生出揣法，又能破炮法，炮法属火，这也是用水克火。

# 五行篇第九章

火生于木，属于阳，明①三昧之真②俱在焉。四方是南，四时为夏，五味属苦，五脏是心，形象炎上③，在武术之中为炮法。论炮法之原委，在古为石④，今则变为铜质。用法内注焰硝⑤、硫磺杂于炭质⑥，燃火，既发而能远，有直无曲之象也。武术之炮法亦然。欲学者，两手握拳，步作剪股⑦之状，发左手迈右步，发右手迈左步，一手向前直发，一手向头作保护之势。左右变换，有进无退。学者明于炮法，五行之意已得其全焉。

注 释

① 明：明示，明白表示。

② 三昧之真：三昧真火。按道家说法，人体内有三种火：一种是目光之火，一种是意念之火，一种是真气发动之火，古人称为“三昧真火”。这三种火合在一起，意念加重，注视不离，叫作武火；意念轻松，似有似无，叫作文火。另一说，心君之火、肾精之火、脐下气海之火，三者散而为气，聚而为火，称为“三昧真火”（后一说见唐代吕洞宾《指玄篇》）。

③ 炎上：向上加热。《尚书·洪范》：“火曰炎上”。

④ 石：石质。

⑤ 焰硝：又称火硝，主要成分为硝酸钾。

⑥ 炭质：木炭。

⑦ 剪股：剪子股。拗步出手，腿夹、身扭，在形意拳称为“剪子股”，即剪子腿。

### 参考译文

火从木生，属于阳，明示人的三昧真火全在里面。在四个方位中位于南方，在四季之中为夏季，在五味之中为苦味，在五脏之中为心。它的性质为向上加热，在武术之中为炮法。谈起炮的历史，在古时为石质，现在则变为铜质。用法是往药室内注入焰硝、硫磺再搅上木炭（三种成分按一定比例混合即成为火药），一点着火，炮弹就能发射得很远，是有直无曲的形象。武术的炮法也是这种形象。要学炮法，需要两手握拳，步法为剪子腿，发左手、迈右步，发右手、迈左步，一手向前直着打出，另一手向头作保护的动作。左右变换，有进无退。学者明白了炮法，五行的精义就已经全部掌握了。

# 五行篇第十章

火为飞腾之物，性属于直，如人有正直之性，则命之曰“爆竹”，取其正直无私也。武术中之炮法亦取其发而必中之意。如与敌人相对，我握拳吸气，静以待之。彼手一发，即一手保护，一手进攻，手一进，身步俱随之而进，一往直前，如炮之有速率，远攻远取。敌人纵有撑拒之力，亦难当此开山凿险之功也。炮生于掤而本于横，而专能破劈，劈属诸金，以其火能克金也!

参考译文

火是飞腾的东西，属于直性，假如有人很正直，则会被称为“爆竹”，这就是取了火正直无私的性质。武术中的炮法也是取它发而必中的意思。假如与敌人相对，我方握拳吸气，蓄势静待。他的手一发出，我就一手保护头部，一手进攻对方，手一进，身与步都随之而进。一往直前，就像炮弹那样速度快，远攻远取。敌人纵然有撑拒之力，也难阻挡这种开山凿险般的进攻。炮从掤生出而又以横为本，专能破劈，劈属于金，因为火能克金。

# 八要篇

## 八要篇第一章

学者不志[①]其大，虽多而何为？苏子[②]不云乎哉！以予观之，为文如斯[③]，习武亦然。前篇五行所言劈搠炮钻横，不过于武术之大纲，撮其极要[④]。若不细言[⑤]夫条目，似学者入手无由[⑥]。茫茫大海，亦徒望洋而叹，难得津涯[⑦]。惟明挈其要领，学者得所指归[⑧]，简练揣磨，不致误入歧途，以后入室升堂，庶几得个中真趣，岳武穆之功于焉[⑨]不朽。由是观之，是非先讲八要不为功[⑩]，八要为何？试为学者缕析言之。



注释

① 志：志于，立志于。

② 苏子：指苏辙（1039—1112），北宋政治家、文学家。嘉祐二年（1057年），19岁的苏辙登进士第，在东京（今河南开封）写了《上枢密韩太尉书》，其中有“且夫人之学也，不志其大，虽多而何为”这样的豪言。

③ 为文如斯：作文如此。

④ 撮其极要：取出它最重要的部分（来讲）。

⑤ 细言：细讲。

⑥ 无由：没有途径。

⑦ 难得津涯：指如涉大水，无际涯，无所依就。津涯：水的边岸。

⑧ 指归：主旨。

⑨ 于焉：从此，于此，于是。

⑩ 不为功：不能算有功。

## 参考译文

求学的人如果不立志于求取远大的学识，就算书读得多、文章写得多又有什么意义呢？苏子不是这样说吗！在我看来，学文如此，习武也是这样。前篇五行篇所讲的劈揣炮钻横，不过是在武术的大纲中，取出最重要的来讲。若不进一步细讲它下面的条目，似乎学者还是没有途径入手。就像面对茫茫大海，只能望洋兴叹，难以得到渡海的途径。惟有明确地掌握了它的要领，得到它的主旨，拣选练习、悉心揣摩，才不至于误入歧途。等到以后登堂入室，便有望得到其中的真义，这样，岳武穆的创始之功也就能永垂不朽。由此看来，不先讲八要就不能算有功，那么“八要”是什么？试为学者一条一条分析讲解。

# 八要篇第二章

第一：学者三星[①]要明。何为三星？两眼与心也。人之一身，心为元帅，眼为先锋。心为一身之主[②]，故比之三军司命[③]，众之死生、国之存亡系焉[④]。必得明鉴万里，算无遗策[⑤]，所谓运筹帷幄之中，决胜千里之外[⑥]，方称主帅之责任。眼有鉴察[⑦]之能，可比冲锋踏阵之首领。亦不可徒凭血气之勇，必先窥对阵[⑧]之虚实，察敌人之短长，方能往有功也。术谱有云：“明了三星多一力”。盖眼不明，手足无所措；心不明，一身无所依归[⑨]也！



注 释

① 三星：按，实战时，要心明眼亮，就像天上的星星一样，所以将两眼与心称为“三星”。

② 主：君，长。

③ 三军司命：军队的统帅。三军：春秋时，大国多设上中下三军，所以后世称军队为三军。司命：掌管命运的人，这里指主将、统帅。

④ 系焉：维系在这里。

⑤ 明鉴万里，算无遗策：眼能看清万里之外的目标，心能谋算周详而没有

遗漏。

⑥ 运筹帷幄之中，决胜千里之外：运筹于帷幄之中，决胜于千里之外。通过帷幄之中的筹划决策，就可以指导军队在千里之外决出胜负。帷幄，指天子或将帅的决策之处。

⑦ 鉴察：照察。鉴：照，审察。

⑧ 对阵：对方的阵势。

⑨ 依归：依从、归附，心若不明，则一身无所适从。

## 参考译文

第一要：学者对于三星要明白。什么是三星？两眼与心就是“三星”。在人的一身之中，心为元帅，眼为先锋官。心是一身的主宰者，故而将它比作三军的统帅，兵众的死生、国家的存亡都维系在这里。因此必须得眼能看清万里之外的目标，心能谋算周详而没有遗漏，所谓运筹于帷幄之中，决胜于千里之外，才能与主帅的责任相称。眼有照察的能力，就好比是冲锋踏阵的首领。在对阵之时，不能仅凭血气之勇，必须先看清对方阵势的虚实，察明敌人的短处与长处，才能出击获胜。拳谱上有一句说：“明了三星多一力”。因为眼不明，则手足不知往哪里放置；心不明，则一身不知道该怎么动作。

# 八要篇第三章

二曰三尖要对。何为三尖？鼻尖、手尖、脚尖是也。三尖如三峰对峙，无所偏倚于其间[①]。鼻不对手[②]，是上节不明；手不对脚，是中节不明；脚不对手鼻，是下节不明。上节不明，是气不贯顶；中节不明，是腹腰均慵；下节不明，两腿斜倾。譬如鼎有三足，缺一不可。术谱中身法论云：不可前俯，不可后仰；不可左斜，不可右欹；往前一直而出，往后一直而退。此正言三尖必对之法也。学者解此，自无身体不正之患矣！



注 释

① 无所偏倚于其间：在它们相互之间没有偏倚不对正的。

② 鼻不对手：即手正鼻不正。下两条同。

参考译文

第二为三尖要对。什么是三尖？就是鼻尖、手尖、脚尖。三尖像三座山峰对峙，在它们相互之间没有偏倚不对正的。鼻不与手对正，是上节不明；手不与脚对正，是中节不明；脚不与手鼻对正，是下节不明。上节不明，则真气不能上贯头顶；中节不明，则腹部与腰部都会慵懒；下节不明，则两腿斜倾。三尖相对，就像一只鼎有三个脚，缺一不可。拳谱中的“身法论”说：不可前俯，不可后仰；不可左斜，不可右歪；往前进，则一直而出；往后退，则一直而回。这正是讲的三尖必须相对。学者理解了这一点，自然不会有身体不正的担心了。

# 八要篇第四章

三曰三意要连。何为三意？进意、顾意、踩意是也。有进无顾，进亦惘然；有顾无踩，顾亦不坚；有踩无进，顾踩亦无功。所谓“手动脚不动则枉然，脚动手不动亦枉然。”术谱有云：“三意不相连，必定艺儿浅”；又云：“脚踏中门抢地位，就是神手也难防”。由是观之，三意相连，可比三人同心，力可断金，此必然之势也，学者不可不知。



参考译文

第三为三意要连。什么是三意？就是进意、顾意、踩意。有进没有顾，进也白搭；有顾没有踩，顾也不严密；有踩没有进，顾踩也没有效果。所谓“手动脚不动则白搭，脚动手不动也白搭。”拳谱上说：“三意不相连，必定艺儿浅”；又说：“脚踏中门抢地位，就是神手也难防”。由此看来，三意相连，可以比得上三人同心，力可断金，这是必然的，学者不可不知道。

# 八要篇第五章

四曰三前要知。何为三前？眼前、手前、脚前是也。眼前不明，有法难行；手前不明，拳出无功；脚前不明，踏处尽空。此武术家之大害也。术谱有云：“眼要毒，手要奸，脚踏中门往里钻”；又云：“眼有鉴察之精，手有拨转之能，脚有行程之功”。即此推之，三前不明，诸法难行；三前若明，武术均通。学者欲讲形意武术，离却三前尚何以哉？

参考译文

第四为三前要知。什么是三前？就是眼前、手前、脚前。眼前不明，有方法也难以实行；手前不明，拳打出去不会有效；脚前不明，脚落之处都是空的。这是武术家最忌讳的。拳谱上说：“眼要毒，手要奸，脚踏中门往里钻”；又说：“眼有观察的功能，手有拨转的功能，脚有行程的功能”。就此往前推，三前要是不明，各种方法都难以使用；三前要是明白了，武术就会精通。学者要研究形意武术，离开三前还能从哪下手呢？

# 八要篇第六章

五曰内要提。内，五内也。谚云：腹内不精，手脚均慵；腹内一精，四稍[①]皆平，是[②]内提为至要[③]也！何以为之？学者必垂肩坠肘，吸气开胸，中脘要催，丹田气满，上贯至顶，肛门自然提起。浑身血脉灵通，无丝毫涩滞。所谓心一静腹内皆静。《大学》诚意正心之功，亦不外乎此。[④]此慎独[⑤]之功，莫见莫显[⑥]，学者不可因其隐微而忽之也！



注释

① 四稍：这里当指四肢的末端，即两手两脚。

② 是：由此看来。

③ 至要：最紧要（的）。

④《大学》诚意正心之功，亦不外乎此：《大学》所说的诚意正心之功，也不外是这样。按《大学》："欲修其身者，先正其心；欲正其心者，先诚其意。"

⑤ 慎独：在独处时也能谨慎不苟。

⑥ 莫见莫显，即"莫见乎隐，莫显乎微"，没有比隐蔽的地方更公开的，没有比微小的事情更显著的。《中庸》："道也者，不可须臾离也，可离非道也。

是故君子戒慎乎其所不睹，恐惧乎其所不闻。莫见乎隐，莫显乎微，故君子慎其独也。”

## 参考译文

第五是内要提。内，就是五种内脏。谚语说：腹内不精神，手脚都慵懒；腹内一精神起来，四肢都能安定振作，由此看来，内部的提振是极重要的！如何操作呢？学者必须垂肩坠肘，吸气时舒展胸部，中脘部位要往前催，丹田要用气贯足，再将丹田之气沿督脉向上贯注至头顶，在气经过尾闾时要提起肛门。这样浑身血脉灵通，没有丝毫涩滞之处。所谓心一静则腹内都静。《大学》所说的诚意正心之功，也不外是这样。这是一种慎独的功夫，别人看不见，也不表现在外面，学者不可因为它隐蔽精细而忽视它！

# 八要篇第七章

六曰外要随。外，四稍[①]也。要随，是不可与内隔阂也。心为元帅，四稍为将官。心动身不动，所谓将帅不合，往必无功，取败之道也！盖心一动，浑身俱动。心动身不动则罔然，身动心不动亦罔然。术谱有云："五行合一处，放胆即成功。"所谓五行，言内、外五行也，若能相合，内外如一，何愁不"动则即胜"哉！惟望学者诚中形外，勤加训练，无负此谆谆告诫之苦心也！



注释

① 四稍：这里当指两手、两脚（也包含躯干）。

参考译文

第六是外要随。外，指的是外面的两手两脚及身躯。要随，是说外面的两手两脚及身躯不可与内部的五脏隔阂不通。心为元帅，两手两脚及身躯为将官。心动而身不动，就是所谓将官与元帅不配合，这样的话，出去打仗必然无功而返，这是打败仗的做法！心一动，浑身都要动。心动而身不动则白搭，身动而心不动也是徒然。拳谱上说："五行合一处，放胆即成功。"这里所说的五行，是指内、外五行，若能相互配合，内与外成为一个整体，何愁不能“一动就赢”呢！只希望学者能够心意诚于中、肢体形于外，勤加训练，不要辜负这谆谆告诫的苦心！

# 八要篇第八章

七曰齿要叩。达摩《易筋经》言：学者欲练此术，必先叩齿三通[①]，然后依法演习。因齿为骨稍，齿一动，浑身俱动，如人睡觉闻声警醒是也。武术言叩齿[②]，是令闭口，使气不得由口而出，是养丹田第一要著也。人要动力[③]，无论何事，总宜合齿吸气，力方能伸。即人开跑步，若张其口，数武[④]之间，人必上喘，此一明证也！诸公不信，请尝试之，方知此不诬[⑤]也。学者解此，已得武术中之捷径矣！



注释

① 三通：三遍。

② 武术言叩齿：武术讲（的）叩齿。按，武术讲（的）叩齿，是咬住牙、闭住嘴。

③ 动力：用力。

④ 数武：数步。按，古以六尺为步，半步为武。

⑤ 不诬：不假。诬，把没有的说成有的。

## 参考译文

第七是齿要叩。达摩《易筋经》说：学者要练这种健身术，必须先将上下牙齿叩击三遍，然后再照着方法演习。因为牙齿为骨稍，牙齿一动，浑身都会警醒起来，就像人在睡觉中听见响动惊醒一样。武术讲叩齿，是让练习者闭住口，使气不能由口出入，这是养丹田的第一个要领。人无论干什么事，要想用力，总要先咬住牙、吸足气，才能让力发挥出来。即便是跑步，要是大张开口，跑不了几步，就会气喘不支，这就是一个明证！各位要不信，可以试一下，就知道这话不假。学者了解了这一点，已经得到武术中的捷径了。

# 八要篇第九章

八曰舌要顶，是以舌尖顶上腭。舌为肉稍，是周身血脉所关也。舌一顶腭，浑身血脉均活。又为心稍，谱云：舌与心合多一精，于此可见矣！此与上篇叩齿俱系暗功。俗云：明力易练，暗功难学。不明乎此，虽朝乾夕惕[1]，练习四肢，难进易退，安能久而不变哉！譬之战阵，军将之功，非关旗鼓之力，然旗倒鼓息，军将勇力因之不振，此必败之道。学者解此，自明齿与舌之要处，不可稍缺其一。



注释

① 朝乾夕惕：朝，早晨；夕，晚上；乾，即“乾乾”，自强不息；惕，小心谨慎。形容一天到晚勤奋谨慎，没有一点疏忽懈怠。出自《周易》：“君子终日乾乾，夕惕若厉，无咎。”

参考译文

第八是舌要顶，是要求舌尖顶住上腭。舌为肉梢，是周身血脉所关的地方。舌一顶上腭，浑身血脉都活了。舌又为心稍，谱上说：舌与心合多一精，由此可见舌的重要！这与上篇的叩齿都属于暗功。俗话说：明力好练，暗功难学。

不明白这个，虽然早晚不误，勤勤恳恳，练习四肢，而功夫难进步、易退步，哪能维持长久呢！譬如在战阵之中，军将出力取胜，好像与旗鼓的作用无关，然而假如旗倒鼓停，军将的勇力就会因此而不振，这一定会失败。学者理解了这个道理，自然会明白齿叩与舌顶的重要，一样都不可缺少。

# 八要篇第十章

以上四篇作为初级，为学者入道之基础。故以“修身”为主脑，“武术”次之，“五行”“八要”又次之。学者由此入手，已得形意武术之大略，亦“行远自迩，登高自卑”[①]之意。尤必勤加训练，日就月将[②]，熟能生巧。孟子云：“梓匠轮舆，能与人规矩，不能使人巧。”[③]盖自[④]寓于[⑤]规矩之中也，学形意武术诸公其勉旃[⑥]。



注释

① 行远自迩，登高自卑：行远必须自近处开始，登高必须自低处开始。《中庸》：“君子之道，譬如行远必自迩，譬如登高必自卑。”

② 日就月将：犹如说日积月累。《诗·周颂·敬之》：“日就月将，学有缉熙于光明。”孔颖达疏：“日就，谓学之使每日有成就；月将，谓至于一月则有可行。言当习之以积渐也。”李清照《金石录后序》：“日就月将，渐益堆积。”

③ 梓匠轮舆，能与人规矩，不能使人巧：出自《孟子·尽心下》。

④ 自：本自，本来已经。

⑤ 寓于：包含在。

⑥ 勉旃：努力吧。旃，音zhān，文言助词，相当于“之”或“之焉”。

## 参考译文

以上四篇作为初级理论，是学者入门的基础。故而用“修身篇”领头，“武术篇”放在第二位，“五行篇”“八要篇”放在第三、第四位。学者由这几篇入手，已经得到形意武术的大概了，这也是“行远必须从近处开始，登高必须从低处开始”的意思。但是还必须勤加训练，一天天长进，才能由熟生巧。孟子说：“制作车轮、车厢的木匠师傅，能教给人规矩，不能让人巧。”巧妙的方法本自包含在规矩之中了，学形意武术的各位努力吧。

# 虚实篇

## 虚实篇第一章

且天地之大，万物皆育其中焉。事虽不同，而理则一致，惟虚实二字足以赅[①]之。先有虚而后有实，有实方显其为虚；无虚则无实，无实焉能有虚？虚之中寓实，实之中生虚。至于始则是实，终变为虚；始则为虚，终则是实。又有看则是虚，而实则是实；看去是实，实则是虚。兵法有云："虚者实之，实者虚之。"此诸葛武乡侯先生[②]之长技[③]也。虚虚实实，实实虚虚，变化无穷，令人几不辨何者为虚，何者为实，斯为[④]善用虚实者矣！古往今来，凡事如斯，而练形意武术者，亦何独不然[⑤]？练则是虚，用则是实。至于彼则用虚，我则用实以当之；彼则用实，我则虚心以待之；人虚我实，人实我虚。为练艺极要之一端。人必明夫[⑥]虚实，而后无愧乎练艺者矣！



注释

① 赅：包括。

② 诸葛武乡侯先生：即诸葛亮（181—234），三国时蜀汉政治家、军事家，字孔明，琅邪阳都（今山东沂南）人，蜀汉建兴元年（223 年），后主刘禅继

位，他被封为武乡侯。

③ 长技：擅长的技术。

④ 斯为：这是。

⑤ 何独不然：为何（却）偏偏不是这样。

⑥ 明夫：语助词，无义。

## 参考译文

天地这么大，万物都孕育在其中。各种事物虽然不同，但它们的原理都是一样的，只要虚、实两个字就足以概括了。先有了虚而后才有了实，有了实才能显示出虚；没有虚就没有实，没有实怎能有虚？虚之中包含着实，实之中也能生出虚。至于开始时是实，而最终却变为虚；开始时是虚，而最终却变为实。还有的看着是虚，而实际上则是实；看上去是实，而实际上则是虚。兵法上说："空虚的地方就做出充实的样子，充实的地方就做出空虚的样子。"这是诸葛武乡侯先生最擅长的妙技。虚虚实实，实实虚虚，变化无穷，令人几乎分辨不出哪一个地方为虚，哪一个地方为实，这是真正善于运用虚实的！古往今来，所有的事都是如此，而练习形意武术，也何尝不是如此？练的时候是虚，用的时候则是实。至于他用虚招，我则用实招来破解他；他用实招，我则虚心来等待他；人虚则我实，人实则我虚。这是练艺极重要的一点。人必须明了虚实，而后才能无愧于练艺者的身份！

# 虚实篇第二章

治世之道，不离文、武两途[1]。文能经邦，武能济世。文人执笔亦等于武士练艺，遇极难下笔之处，必先四面烘托，而后用实事以志[2]之，所谓之先虚而后实。若一口咬煞[3]，必至[4]死于句下。若武士对敌，遇强大有力之人，力举千钧，我则百钧而不胜[5]，非用虚实之法，此取败之道也！试观楚汉争雄，项羽百战百胜，汉王三战三北，孤身逃走，几无立锥之地，是汉王不明虚实之道也！自得淮阴[6]之后，虽仍败如故，兵马并无损伤，是淮阴深明夫虚实之理也！项王叱咤风云，力敌万夫[7]，若与较力，如以卵击石，必不能完全[8]。所以项王一见淮阴必大骂："胯夫[9]敢战三合?"淮阴必虚掩一战[10]，败下以避其锋，此"彼实而我虚"也。至九里山十面埋伏[11]，一战成功，是"彼虚而我实"也。若非淮阴深明虚实之理，未知鹿死谁手[12]，练艺者曷念之[13]。



注释

① 两途：两条道，两种。

② 志：记。

③ 一口咬煞：一口咬紧。

④ 必至：必然会。

⑤ 不胜：不能承受。胜，胜任，承受。

⑥ 淮阴：即淮阴侯韩信（？—前196），汉初军事家。

⑦ 力敌万夫：勇力敌得过千万个普通战士，形容勇力超人。

⑧ 完全：保全（自我）。

⑨ 胯夫：这是骂韩信的话。韩信少年时，一无赖迫使他从其胯下钻过，所以项羽称他为“胯夫”。

⑩ 虚掩一战：虚虚地应付一场。

⑪ 九里山十面埋伏：指韩信从九里山进军，在垓下摆出十面埋伏阵，歼灭项羽主力。九里山，又称九嶷山，在江苏省徐州市北。

⑫ 鹿死谁手：指政权落在谁的手上。鹿：指政权。《晋书·石勒载记下》：“朕遇光武，当并驱于中原，未知鹿死谁手。”

⑬ 曷念之：何不认真思考这段历史。曷：何不。

## 参考译文

治理天下的方法，离不开文和武。文才可以治理国家，武略可以救济世人。文人执笔练习写文章也相当于武士练习武艺，遇到极难下笔的地方，必须先四面烘托，最后再把事实记上，这就是所谓的先虚后实。如果是上来就一口咬紧，那么这篇文章必然会死在句下。假如武士对敌时，遇到强大有力的对手，能够力举千钧，而我则连百钧也拿不动，这时如果不用虚实的方法，那就必然会失败！试看楚汉争雄的时候，项羽方面百战百胜，而汉王刘邦则是屡战屡败，最后落得孤身一人逃走，几乎没有立锥之地，这就是汉王不明虚实之道造成的！自从汉王刘邦得到淮阴侯韩信的辅佐，虽然仍是一再失败，但是他们的兵马不再有多大的损伤，这是因为淮阴侯深明虚实之理！这时的项王叱咤风云，力敌万夫，正是实力强劲的时候，若硬与他较量，就像以卵击石，我方必然不能保全。所以项王一见淮阴必然大骂："胯下之人敢与我大战三合吗?"这时淮阴侯一定是虚与应付，一接触就败下来，以避其锋芒，这就是"他实而我虚"的道理。但是到了九里山十面埋伏的时候，淮阴侯指挥部队一战成功，这又是"他虚而我实"的道理。如果不是淮阴侯深明虚实之理，还不知道鹿死谁手，练艺者何不好好琢磨这段史实?

# 虚实篇第三章

第一、进退宜明夫虚实也。术谱云：进步要低退步高，不知进退枉学艺。是进退二字为练形意武术最要之关键，即虚实二字亦为练形意武术之本源。彼进而我退，是避其实也；彼退而我进，是捣隙以击其虚也，即武子兵书所谓避实击虚之法[①]。若不明虚实，彼进而我亦进，以实击实，力强者胜，危弱者败，大者关乎国家之存亡，小者关于一身之性命。至彼退而亦进，更宜察其虚实也。彼用引诱之法，我则误入网罗，必致身命不保。术谱有云："见空不打，见空不上"，正谓此也。至于"进步踩打莫容情"，是言其实也；退步须防地不平，是言其虚也。是虚实二字，练形意武术者，不可弁髦[②]视之也。亦惟学者平日涵养有素[③]，有真实之功，无虚诞[④]之势，一旦大敌当前，高下在心[⑤]，法随手至[⑥]，正俗语所谓：百练精[⑦]化为绕指柔者，此之谓也！



注释

① 武子兵书所谓避实击虚之法：《孙子兵法》所说的避实击虚的方法。武

子：即战国时军事理论家孙武，也称为孙武子。《孙子兵法·虚实》：“夫兵形象水，水之形，避高而趋下；兵之形，避实而击虚。”

② 弁髦：弁，指缁布冠，一种用黑布做的帽子；髦，童子的垂发。古代贵族子弟行加冠之礼，先用缁布冠把垂发束好，三次加冠之后，就去掉黑布帽子，不再用。因而将它比作无用的东西。《左传·昭公九年》：“岂如弁髦，而因以敝之。”

③ 涵养有素：即训练有素。

④ 虚诞：虚假。

⑤ 高下在心：敌人的高下都在我心里，即敌人的水平高低都在我方的掌握之中。

⑥ 法随手至：方法随手而出。形容我方应对自如，变化无穷。

⑦ 精：精钢。

## 参考译文

第一、进退要懂虚实。拳谱说：进步要低，退步要高，不知进退白学艺。据此可知，进退二字是练形意武术最重要的关键，虚实二字也是练形意武术的根本。他进而我退，这是避开他的实；他退而我进，这是直奔空隙而攻击他的虚，也就是《孙子兵法》所说的避实击虚的方法。如果不懂虚实，他进我也进，以实击实，则力大的取胜，力小的失败。从大的方面说，关系到国家的存亡；从小的方面说，关系到自身的性命。至于他退而我进，更要注意观察他的虚实。如果他是用引诱的方法，而我则误入网罗，必然导致性命不保。拳谱上说：“见空不打，见空不上”，正是说的这种情况。至于说“进步踩打莫容情”，这是讲进要实；“退步须防地不平”，这是说退要虚。这虚、实二字，练形意武术的人，不可当作弁髦一样的无用之物来看待。只有平日训练有素，有真实的功夫，而无虚假的架势，才能在大敌当前的时候，敌方的水平高低全在我的掌握之中，我方的妙法随手而出，正像俗话所说的：百炼精钢化为绕指之柔，说的就是这啊！

# 虚实篇第四章

第二、用力宜明夫虚实也。人之用力有虚实，犹人之遇事有缓急也，事之宜缓，急则生变；事之宜急，缓则难图[①]。若大敌当前，人用虚式以诱我，我必用虚式以搪塞之。若不明乎此，误用实力以架之，彼得[②]趁我之式而胜我之机。若彼用实力，我用虚力以招之[③]，此太山[④]压卵，必至倾倒数步之外。惟彼以实来，我以实往，以实对实，以虚对虚，势匀力敌；再加以手法之巧，步法之精，其不以此胜人者几希[⑤]矣！所谓用力少而成功多者，此也。若学艺者不察乎此[⑥]，不问可否，不论是非，不窥虚实，不明机变[⑦]，彼以直来，我以直往，自恃武艺之精，力大欺人，所谓"恃艺必死于艺"。大圣人[⑧]有云："强梁者不得其死，好胜者必过其俦。"[⑨]惟望学[⑩]宜书绅佩之[⑪]。

注释

① 难图：难成。图，谋取。

② 得：得到。

③ 招之：招架他。

④ 太山：即泰山。

⑤ 几希：很少。

⑥ 不察乎此：不察于此，不明白这个（道理）。

⑦ 机变：机巧变化。

⑧ 大圣人：或指老子。按，老子《道德经·第四十二章》："人之所教，我亦教之。强梁者不得其死，吾将以为教父。"此或为"强梁者不得其死"之原始出处。

⑨ 强梁者不得其死，好胜者必过其侍：强梁，凶暴，强横。过，疑为"遇"之误。《说苑·敬慎篇》所载《金人铭》中有"强梁者不得其死，好胜者必遇其敌"句，《孔子家语·观周》中亦有此句。"过"的繁体为"過"，与"遇"很接近，或因形近而误。侍：伴侣，同辈，这里指对手。

⑩ 学：后疑脱一"者"字。

⑪ 书绅佩之：写上绅带，戴在身上。指把这话记下来，以防遗忘。佩：佩戴。绅：大带。《论语·卫灵公》："子张书诸绅。"邢昺《疏》："绅，大带也。子张以孔子之言书之绅带，意其佩服无忽忘也。"

### 参考译文

第二、用力要懂虚实。人用力有虚有实，就像人遇事有缓有急，事该缓办，急了就会生出变故；事该急办，缓了就会错过机会，再难办成。如果大敌当前，人家用虚式来诱我，我必须也用虚式来搪塞他。要是不懂这一点，误用实力去格架对方，对方就能利用我格架时产生的空当来战胜我。如果他用实力打来，而我用虚力招架对方，这就成了泰山压卵，必然导致我方倾倒在数步之外。只有他以实来，我以实去，以实对实，以虚对虚，才能势均力敌；再加上手法的巧妙，步法的精良，不凭这三点战胜他人的太少了！所谓用力少而成功多，就是这个道理。如果学艺的人不明白这个道理，不问行不行，不论对不对，不看虚实，不明机变，他以直来，我以直去，自恃武艺精，以力大欺人，那就是所谓的“恃艺必死于艺”。大圣人说过：“逞强的人不得好死，好胜的人一定会遇上对手。”希望学者将这两句话写上绅带，并戴在身上，经常警醒自己。

# 虚实篇第五章

第三、遇敌宜察其虚实也。敌人强大有力，身材魁伟，加以练艺有素，此则实中之实也！我若以猛撞汉待之，此必败之道。兵书有云：欺敌[1]必亡，正谓此也。若敌人身材孱弱，瘦小枯干，又无练艺之功以助之，此则虚之中又虚也。不妨或搠或炮，一着成功，何必与之久战？术谱所谓：视人如蒿草。此之谓也。敌人或虚或实，何以辨之？将一对面，用手一引，便知其底理也。俗云：行家一伸手，尽知有无有。若身虽长大，一勇之夫，我可以用功力以胜之，虽藐之亦无妨。若身虽矮小，功夫、学力胜我十倍，我若以平常视之，亦必败之道。兵法亦云：骄敌[2]必败，此之谓也。综之，若与人对手，必平心静气以待之，不可心慌意乱，手足无所措，耳目无所加[3]。俗言：静则生明。知敌人虚实，胜之则不难矣！

注释

① 欺敌：犹轻敌，轻视敌方。

② 骄敌：傲视敌方。

③ 手足无所措，耳目无所加：手足不知道往哪放，耳朵不知道往哪听，眼睛不知道往哪看。

## 参考译文

第三、遇敌要观察他的虚实。敌人强大有力，身材魁伟，再加上练功有素，这是实而又实的表现！我如果只是把对方当作一个普通的莽撞汉，这必然失败。兵书上说：轻敌的人一定败亡，正是说的这种情况。假如敌人身材孱弱，瘦小枯干，又没有练过功夫，这是虚中又虚的表现。我方不妨或用揣拳或炮拳，一两招就打败他，何必与他久战？拳谱所谓：看人如蒿草，就是说的这种情况。敌人有的虚、有的实，如何分辨？两人将一照面，用手一引，便知道他的底细了。俗话说：行家一伸手，便知有没有。假如对方身材虽然高大，但只不过是一勇之夫，那我就可以直接依靠功力战胜他，就算藐视他也无妨。假如对方身材虽然矮小，但是功夫、技艺超过我十倍，我若把他当平常人来看待，也必定失败。兵法还说：傲视敌方必然失败，就是说的这种情况。总之，只要与人交手，必须心态平稳、气息安静，不可以心慌意乱，手足不知道往哪放，耳目不知道往哪听、往哪看。俗话说：心里冷静就能生出聪明来。了解了敌人的虚实，战胜他就不难了！

# 虚实篇第六章

第四、用法宜知虚实也。有形者为实，无形者为虚。以六合论，外三合为实，内三合为虚。手与足合，肘与膝合，肩与胯合，此有形可见，故为实也；内三合为虚，心与意合，意与气合，气与力合，此无形者不可见，是为虚也。综之，实生于虚，虚本乎实[①]，无虚则无实；实生于虚，无虚焉能生实？二者相需为用，不可稍有缺点者也。至于五行用法，无不皆然[②]。劈攒炮钻横属于五脏脾肺肝胆肾，是劈攒炮钻横有形，脾肺肝胆肾无形，是有形者为实，无形者为虚也。为学者，平日养丹田之力，练腑脏之功。一旦用之，法随心生，不致踏虚无之弊。用虚生实，内外相合，得个中真趣[③]矣！若不明虚者[④]，何克臻此[⑤]？



注释

① 虚本乎实：虚的根本在于实。

② 无不皆然：都是这样。

③ 个中真趣：其中真正的意趣。趣：旨趣，意旨。

④ 若不明虚者：此处疑脱一“实”字，按上下文应为“若不明虚实者”。

⑤ 何克臻此：哪能达到这种境界？臻：达到。

### 参考译文

第四、用法要懂虚实。有形的为实，无形的为虚。拿六合来说，外三合为实，内三合为虚。手与足合，肘与膝合，肩与胯合，这三种有形的合是可见的，所以为实；内三合为虚，心与意合，意与气合，气与力合，这三种无形的合是看不见的，所以为虚。总之，实从虚生出来，虚又以实为本，没有虚就没有实；实从虚生，无虚哪能生实？二者互相配合起来使用，不可缺少任何一点。至于五行的用法，无不都是如此。劈搧炮钻横属于五脏脾肺肝胆肾，劈搧炮钻横是有形的，脾肺肝胆肾是无形的，有形的为实，无形的为虚。作为学习者，平时要在无形中培养丹田之力，练习腑脏之功。这样一旦用的时候，有形的方法随着心意产生，就不至于踏入虚无的误区。用虚生实，内五行与外五行互相配合，这就得到其中的真趣了！要是不明虚实，哪里能达到这种境界？

# 虚实篇第七章

内外宜明虚实也。含于内者为虚，发外者为实，如以上数篇所论五行、八要、三才、六合、七疾、四稍等，以及下篇十二形象，虽手足身法之功，皆本于丹田之用力[①]，所以艺谱云："丹田养成长命宝，万两黄金不与人。"是丹田为虚，五行、八要、三才、六合、七疾、四稍、十二形象等法均为实也。即前篇所论，虚能生实，而实发于虚也。不止乎此，即五行而言，亦各有虚实之法也。如劈拳能破搠拳，是劈拳属实、搠拳属虚也，其以金克木也。然搠拳亦能破横拳，是搠拳属实、横拳属虚也。五行生克之法皆然，均是生者为实，克者为虚也。六合：手与足合，膝与肘合，肩与胯合，在外者可见，人皆知其为实也；心与意合，意与气合，气与力合，在内者无形，人亦知其为虚也。然虚无真实在外之实，亦归于虚矣。是[②]实本于虚，欲乎实，非于虚入手则不可。余法可以类推，学者其审诸[③]。

注释

① 丹田之用力：这是指发力时，要用逆腹式呼吸来配合催动。

② 是：如此说来。

③ 学者其审诸：学习者自己详细研究吧。其：助词，表示期望。审：详查，细究。

## 参考译文

内外的虚实要明白。包含在内的为虚，表现在外的为实，如以上几篇所讲的五行、八要、三才、六合、七疾、四稍等，以及下篇的十二形象，虽然都是手足身法的功夫，但是都来源于丹田的用力，所以拳谱说："丹田养成长命宝，万两黄金不给人。"因此丹田为虚，五行、八要、三才、六合、七疾、四稍、十二形象等方法均为实。也就是前篇所说的，虚能生实，实是从虚生发出来的。不仅如此，即使只就五行来说，也各有虚实不同的用法。如劈拳能破搠拳，这里劈拳属于实、搠拳属于虚，它是以金（实）克木（虚）。然而搠拳也能破横拳，这里搠拳属于实、横拳属于虚。五行生克的方法都是如此，都是生出来的一方为实，被克制的一方为虚。六合里面，手与足合，膝与肘合，肩与胯合，这些表现在外的，能够看得见，人们都知道它为实；心与意合，意与气合，气与力合，这些隐藏在内的，没有形象，人们也都知道它为虚。然而内部的虚要是没有真实外在的实来表现，也终归不过是虚罢了。如此说来，实来源于虚，要达到实，非得从虚入手不可。其余有关内外虚实的法则可以类推，学习者自己详细研究吧。

# 虚实篇第八章

起落宜知虚实也。术谱云："起、落二字要分明。"是知一起、一落为学形意武术极要之地点。起为虚，落为实，是学艺者之通论[①]也。至于起亦有实，落亦有虚，虚之中存实，实之内含虚，学者亦不可不讲[②]。如"起手横拳势难招[③]"，又言"起如挡磋[④]，落如钩杆[⑤]"，是言其实也；"起为横，落为顺[⑥]"，是言其虚也；"起横不见横，落顺不见顺"，是言其虚中存实也；"起不起何用再起，落不落何用再落?""起无形，落无形，起似蛰龙[⑦]登天，落如霹雷震地"，是实中含虚也；又云"起落二字自身平"，是言无虚非实；其言"起落二字与心齐"，言无实非虚也。综之，有起就有落，即有实即有虚也；无虚不能显其为实，无实则虚亦无着[⑧]也。虚为涵养[⑨]，实为作用[⑩]。即是起为去，落为收，无去则不收，无收何能再去? 起落二字为学形意极要之指归[⑪]。不明乎此，难免有面墙[⑫]之弊矣！学者宜三复斯言[⑬]，勿得河汉识之[⑭]。

## 注释

① 通论：通行的认识。

② 讲：讲求，细究。

③ 招：招架。按：这一章带引号的都是《形意拳谱》中的原话。

④ 挡磋：当为一种磨光的工具。

⑤ 钩杆：前端带钩的长杆。

⑥ 顺：即竖。

⑦ 蛰龙：蛰藏的龙。

⑧ 无着：没有着落。

⑨ 涵养：蓄养（气力）。

⑩ 作用：作用在对方身上。

⑪ 指归：宗旨或意向所在。

⑫ 面墙：《尚书·周官》："不学墙面。"孔《传》："人而不学，其犹正墙面而立。"这是说不学的人如面对着墙壁，什么也看不见。

⑬ 三复斯言：反复背诵体味这句话。三复：多次反复。《论语·先进》："南容三复白圭。"朱熹注："《诗经·大雅·抑》之篇曰：'白圭之玷，尚可磨也；斯言之玷，不可为也。'南容一日三复此言。"

⑭ 河汉识之：当作空泛的大话来看它。河汉：本指银河，这里指河汉之言，比喻言论夸诞，不着边际。见《庄子·逍遥游》。

## 参考译文

起落里面的虚实要明白。拳谱说："起、落二字要分别清楚。"由此可知，一起、一落是学习形意武术极重要的地方。起为虚，落为实，这是学艺人通行的认识。至于起里面也有实，落里面也有虚，虚之中存着实，实之内含着虚，学者也不可不讲求。如"起手横拳势难招架"，又说"起如挡磋，落如钩杆"，这是讲它们的实的一面；“起为横，落为顺”，是讲它们的虚的一面；“起横不见横，落顺不见顺”，是讲它们虚中藏着实；“起不起何用再起，落不落何用再落?”“起无形，落无踪，起似蛰龙登天，落如霹雷震地”，是实中含有虚；又说“起落二字自身平”，是说没有一个虚不是以实为基础；它说的“起落二字与心齐”，又是讲没有一个实不包含着虚。总之，有起就有落，也就是有实就有虚；没有虚的铺垫，就不能显示实的作用；没有实的作用，那么虚也就没有落脚点。虚是蓄神、蓄气、蓄力，实是产生打击敌人的作用。即是说起为去，落为收，没有去则不能收，没有收哪能再去？起、落二字是学习形意极重要的主题。不明白这一点，难免有面对墙壁站立，什么也看不见的弊病！学习者应该反复体味这句话，不可当作空泛的大话而忽视它。

# 虚实篇第九章

动静亦有虚实也。术谱论动静云："内五行要静，外五行要动[①]，静为本体，动为作用。言其静，未见其机，言其动，未见其迹，动静已发未发之间，所谓动静之真本也。"即子思[②]作《中庸》所云："喜怒哀乐之未发谓之中"，所谓性之本体，均属于虚，故谓性也；"发而皆中节谓之和"，此由性而生情，故属于实也。修道如是，修身者亦宜若是[③]也。术谱又云："虚是精也，实是灵也。精灵皆有，方成其虚实也。"[④]即如《中庸》论：未诚而欲诚者，必先致曲，由曲而求诚。必诚则形，形则著，著则明，明则动，动则变，变则化，必至诚方能化。推之[⑤]练艺者，必先虚而后能实也。即由静而后生动，动则必灵，方不为妄动[⑥]。所云"心动身不动则罔然，身动心不动亦罔然"者，此之谓也！姬公际可咏动静诗云："精养灵根气养神，养功养道见天真，丹田养成长命宝，万两黄金不与人。"由此观之，学者不明动静之理，犹缘木求鱼[⑦]，必难得此中佳趣矣！

## 注释

① 内五行要静，外五行要动：先要心静身空，一旦契机出现，则外形随着心意的发动而出击。按，内五行本指五脏，这里是说心不动则内部一切正常不乱，外形也保持严阵以待；外五行本指五行拳，这里是指一切的外形技击动作。又按：这两句，常见版本多作“内五行要动，外五行要随”。

② 子思：生于前483年，卒于前402年，战国初哲学家。姓孔，名伋，字子思，孔子之孙。《中庸》相传是子思的著作。

③ 若是：如此。

④ 虚是精也，实是灵也。精灵皆有，方成其虚实也：虚是精明，实是灵验。精明与灵验都有，才可称之为虚实。精：精明，精细聪明。灵：灵验，即目标落实，行动有效。

⑤ 推之：推之于，由它推到。

⑥ 妄动：盲目乱动。

⑦ 缘木求鱼：爬到树上去找鱼。

## 参考译文

动静也有虚实。拳谱中论动静说：“内五行要静，外五行要动；静为本体，动为作用。要说它静，却没见到它的契机；要说它动，还没见到它的形迹。由静到动的那个正要发动而还未发动的中间状态，就是所谓动静的真正本相。”就像子思所作的《中庸》所说：“喜怒哀乐还没有发生时的那种无所偏倚的状态叫作中”，这就是所谓人性的本体，都属于虚，所以叫作性；“喜怒哀乐已经发生而都合乎礼义法度叫作和”，这是由性而产生情，故而属于实。修道如此，修身的人也应该如此。拳谱又说：“虚是精明，实是灵验。精明与灵验都有，才可称之为虚实。”就像《中庸》所说：还没有做到诚而想要做到诚的，必须先致力于某一方面，由某一方面求得诚。真正诚了就会表现出来，表现出来以后就会显著，显著了就会有光明，有了光明就能感动他人，他人被感动就会转变，能转变他人就能化育万物，必须极诚才能化育。由此推到练武艺的人，必须先做到虚（静）而后才能做到实（动）。也就是由静而后生动，动就一定灵验有效，才不是盲目的动。拳谱所说的“心动身不动则白搭，身动心不动也白搭”，就是这个道理！姬公际可咏动静的诗说：“精养灵根气养神，养功养道见天真，丹田养成长命宝，万两黄金不与人。”由此看来，学者不明白动静之理，就像爬到树上去找鱼，一定难以得到它里面的真正意趣！

# 虚实篇第十章

以上数章论虚实之法，皆以一端而言，纵观形意之全体，亦不能离虚实别有依归[①]。即如“斩、截、裹、胯、挑、顶、云、领，出势虎扑，起手鹰捉，鸡腿、龙身、熊膀、虎抱头”等势，亦不能离虚、实二字。然而有虚中生实，亦有实中生虚者；亦有虚本生虚，实中生实者。如“斩截”本属乎虚，实在其中焉。近则用斩，远则用截。如敌拳将至我身，躲之不及，或地势狭隘，必用斩法以杀[②]其力，使其人志[③]不能逞，我则腾出一手可以远击，则[④]我术中之化法也。截法亦然[⑤]，然与堵法少异[⑥]，堵则其势未出，截则其势已发，力尚未伸，我则用截法以杀其势。“裹、胯”均化法中之虚势。“挑、顶”即“起势如挑担”之意，不属于虚也。“云、领”亦化中由虚生实也。左云而右领，如人以左手持拳向我胸中来击，我左手持其腕，右手持其臂，微作掳势，彼身一斜，即无能为也；右手亦然。“出势虎扑，起手鹰捉”亦无不皆然。余者可以类推。学者必明虚实相生之法，形意武中已得奥旨矣!

## 注释

① 依归：归属。

② 杀：减杀，减弱。

③ 志：目标，目的。

④ 则：这就是。

⑤ 亦然：也是如此。

⑥ 少异：稍有差异。

## 参考译文

以上几章论述虚实之法，都是从某一方面来说的，然而纵观形意的全体，也不能离开虚实而另有别的归属。即使像“斩、截、裹、胯、挑、顶、云、领，出势虎扑，起手鹰捉，鸡腿、龙身、熊膀、虎抱头”等势，也不能离开虚实二字。然而有虚中生实的，也有实中生虚的；也有虚中再生虚，实中再生实的。如“斩截”本来属于虚，但是里面包含着实。对方近了就用斩，远了就用截。假如敌拳将要打到我身，躲闪已经来不及，或者是地势狭隘，没有地方躲闪，这时必须用斩法来减杀他的力度，使他不能得逞，而我则可以腾出一只手把他往远处打出，这是形意拳中的化法。截法也是这样，然而与堵法略有不同，堵是他的势还没有发出；截则是他的势已经发出，但是他的力还没有完全展开，这时我用截法来减杀他的势头。“裹、胯”均为化法中的虚势。“挑、顶”就是“起势如挑担”的意思，不属于虚。“云、领”也是在化解之中由虚生实。左云而右领的用法是，假设人家用左手握拳向我胸部正中打来，我左手拿住他的手腕，右手扶住他的臂肘，稍微做出一个掳势（即左手云，右手领），他的身一被带斜，就无能为力了；右手也是这样。“出势虎扑，起手鹰捉”也无不如此。其余的可以类推。学者必须明白了虚实相生的方法，才能算得到形意武术中的奥旨了！

# 全体篇

## 全体篇第一章

一者数之始，十者数之终，自修身至此，身得其修，体已得其全焉。身为父母所有之身，至此可为父母之肖子；身为天地所生之身，至此可为天地之完人；身为国家有用之身，至此可为国家之柱石[①]；身为一己保守之身，至此可以趋吉避凶。《大学》言：修身外则能齐家治国，以至于平治[②]；内则诚意正心，以至格物[③]。体[④]无不具，用[⑤]无不周。由于用力之久，一旦豁然而成，于是表里精粗无不到，全体大用无不明矣！由是观之，人修养全体岂易易哉！所以孟子有云：养其小体为小人，养其大体为大人[⑥]。又云：养其一体而失其肩臂，而不知又安望得其全体哉！[⑦]今练形意武术者，竟[⑧]得其全体，真所谓：苟得其养，无物不长；苟失其养，无物不消！[⑨]人可不急思练艺，以保其固有之天真[⑩]哉?

注释

① 柱石：支梁的柱子和撑柱子的基石，比喻担负重任的人。《汉书·霍光传》："将军为国柱石。"

② 平治：即“平天下”，使天下太平。

③ 格物：推究事物之理。

④ 体：本体。

⑤ 用：功能。

⑥ 养其小体为小人，养其大体为大人：只知道保养局部的人是小人，懂得保养整体的人才算是大人。《孟子·告子上》：“养其小者为小人，养其大者为大人。”

⑦ 养其一体而失其肩臂，而不知又安望得其全体哉：出自《孟子·告子上》：“养其一体而失其肩背，而不知也，则为狼疾人也。”解释见译文。

⑧ 竟：最终，终究。

⑨ 苟得其养，无物不长；苟失其养，无物不消：出自《孟子·告子上》：“故苟得其养，无物不长；苟失其养，无物不消。”解释见译文。

⑩ 天真：天然本性。

## 参考译文

一是数的开始，十是数的终了，从修身篇到这里，身已得到修养，体已达到完美了。身为父母所给的身，到此可以成为父母的好儿子了；身为天地所生的身，到此可以成为天地之间的完人了。身为对国家有用的身，到此可以成为国家的柱石了；身为自己保守的身，到此可以趋吉避凶了。《大学》上说：勤于修身，对外则能齐家治国，以至于平天下；对内则能诚意正心，以至于格物致知。品德、学识、强健的身体无不具备，用于实际无不周到。由于用功久了，有朝一日豁然贯通，于是表里精粗，各处无不达到，全体大用之法无不明白！由此看来，人要修养全体岂是容易的！所以孟子说：只知道保养局部的人是小人，懂得保养整体的人才算是大人。又说：只知保养他的一个指头而忽略了保养他的肩背，这又哪能指望他保养好整个身体呢！如今练形意武术的人，最终达到了整体的完美，真是孟子所说的：只要得到滋养，无物不能生长；假如失去滋养，无物不会消亡！人可以不急思练艺，以保全他固有的天然真性吗？

# 全体篇第二章

按[①]形意武术之本原，内根于达摩老祖易筋经按摩之八法，外取诸龙、虎、猴、马、鼍、鸡、燕、鹞、蛇、骀、鹰、熊各飞潜动物[②]之精能[③]，相合而成是艺，此宋岳武穆王留此术之本原也。武穆王精于枪法，为宋之名将，应幕于留守宗泽麾下为将。雅歌投壶，彬彬有儒士之风。尤好孙吴兵法[④]，善以少击众，以弱胜强，屡建奇功，遂成大将。凡有所举，必谋定而后战，故有胜无败，故敌人语曰："撼太山易，撼岳军难。"常与诸将论兵法，言为将之道，仁、信、智、勇、严缺一不可。为童子受明师于枪法[⑤]，以枪为拳，立法以教诸将，或枪、或拳、或刀均为一式，大异于旁门之练艺者，枪为枪法，拳为拳法，刀为刀法，棍为棍法，五花八门，腾挪闪展，徒炫人眼目，愈练愈浅，终无济于时用。若比诸[⑥]岳武穆形意武艺，岂可同年而语哉！学者欲养体育之全，舍是艺其奚以[⑦]？

注 释

① 按：考查。

② 各飞潜动物：各种天上飞的、地上跑的和水里游的动物。

③ 精能：精通的技能。

④ 孙吴兵法：指《孙子兵法》与《吴子》，古人常孙、吴并称，如司马迁《史记》中有《孙子吴起列传》。

⑤ 为童子受明师于枪法：此句意为“为童子时，受枪法于明师”。

⑥ 比诸：比之于，与……相比。

⑦ 奚以：以奚，以何，用什么。奚：何，什么。

## 参考译文

考查形意武术的起源，它的内功是根据达摩老祖的易筋经按摩八法，外功则是吸取龙、虎、猴、马、鮀、鸡、燕、鹞、蛇、鲐、鹰、熊等各种天上飞的、地上跑的和水里游的动物的特殊能力，两者互相结合而构成这门武艺，这是宋朝岳武穆王留下的这一武术的根源。武穆王精于枪法，是大宋的名将，应募在东京留守宗泽的麾下为将。他常吟雅诗及作投壶游戏，文质彬彬，有儒士的风范。尤其喜好孙子和吴子的兵法，善于以少击众，以弱胜强，因屡建奇功，于是成为大将。凡是有所举动，一定先谋划好了再出战，故而有胜无败，所以金国的敌兵中传说：“撼动泰山容易，撼动岳家军困难。”他经常与各将领讨论兵法，说为将之道，仁爱、信用、智谋、勇气、严格缺一不可。少年时，他跟随明师学到了枪法，后来按照枪法创编了拳法，并教给下面的将领，枪、拳、刀都是同一种方法，大大地不同于别门的练艺人，枪法是枪法，拳法是拳法，刀法是刀法，棍法是棍法，五花八门，腾挪闪展，只不过炫人眼目，越练越肤浅，终究无济于实用。他们那一套，与岳武穆的形意武艺相比，哪能同日而语呢！学者要想培养自身的整体素质，离开形意武艺还能靠什么？

# 全体篇第三章

以武术之功，修养全体五行[①]，第一要务也。按五行在内者，心肝脾肺肾，发于外为劈揣炮钻横。心属火，故炮拳发于心经[②]；肝属木，故发于外[③]为揣拳；脾属土，故发于外为横拳；肺属金，故发于外为劈拳；肾属水，故发于外为钻拳。以五行生克而论，劈拳似斧、属金，揣拳似箭、属木，金克木，所以劈拳能破揣拳；横拳起落似弹、属土，木克土，所以揣拳能破横拳；钻拳似电、属水，土克水，所以横拳能破钻拳；炮拳似炮、属火，水克火，所以钻拳能破炮拳；火克金，所以炮拳能破揣拳；金生水，所以劈拳能变钻拳；水生木，所以钻拳能变揣拳；木生火，故揣拳能变炮；火生土，故炮能变横；土生金，故横能变劈。故术谱赞云："拳法自来本五行，生克里边变化精；学者要知真消息，只在眼前一寸中。"[④]若论内外相合法，"心动如飞剑，肝动似火焰，肺动成雷声，脾肾胁夹功，五行相合一处，放胆即成功。"由此观之，五行缺一，体难全备矣。

## 注释

① 全体五行：指内、外五行，即身内的心经、肝经、脾经、肺经、肾经和身外的五行拳。

② 发于心经：由心经发出来。

③ 发于外：（由肝经）发到外面。

④ 故术谱赞云……只在眼前一寸中：这一段来自《形意拳谱·生克申赞》。

## 参考译文

用武术功夫，来修养全体五行，是我们的第一要务。考查五行在身内的，是心肝脾肺肾，表现在外的是劈挒炮钻横。心属于火，故而炮拳是由心经发出来的；肝属于木，故而表现在外为挒拳；脾属于土，故而表现在外为横拳；肺属于金，故而表现在外为劈拳；肾属于水，故而表现在外为钻拳。以五行生克来说，劈拳似斧、属于金，挒拳似箭、属于木，金克木，所以劈拳能破挒拳；横拳起落似弹、属于土，木克土，所以挒拳能破横拳；钻拳似电、属于水，土克水，所以横拳能破钻拳；炮拳似炮、属于火，水克火，所以钻拳能破炮拳；火克金，所以炮拳能破挒拳；金生水，所以劈拳能变钻拳；水生木，所以钻拳能变挒拳；木生火，故挒拳能变炮；火生土，故炮能变横；土生金，故横能变劈。所以拳谱中说："这种拳法的根本是五行拳，五行生克里边变化精妙；学者要想知道其中的真实情况，只需要在眼前一寸的变化中去寻找。"如果讲到内外相合的方法，那就是"心经发动起来就能出手如飞剑，肝经发动起来就能气势似火焰，肺经发动起来就能发声像打雷，脾经、肾经发动起来就能力大无穷，像这样内五行与外五行相互配合，形成一个整体，放开胆子去搏击，就一定会胜利。"由此来看，五行里面缺了一行，技术体系就难以完备了。

# 全体篇第四章

五行虽全，八要不知，亦难得谓全体[①]矣。三星不明[②]，必倒五虎群羊阵[③]之弊；三尖不对，必有身体偏斜之弊；三意不连，必定学业尚浅；三前[④]不对，必定心动身不动，手脚均慵。内不提，神不振也；外不随，稍不齐也；齿不叩，气不均也；舌不顶，力易竭也。学者至此，三星已明，并无五虎群羊阵；三尖必对，以免左偏右斜之患；三意相连，脉络而贯通；三前已对，心一动浑身俱动。内必提，絜网领矣[⑤]；外必随，四肢皆震矣；齿即叩，气不涌出矣；舌一顶，面不更色矣。一身前后、左右、上下、四方、长短、广狭，无不备精灵之气[⑥]。肆业[⑦]至此，已得形意武术之标准矣！学者何不急学八要，以操其全体之功哉?



注 释

① 全体：完备的体系。

② 三星不明：即一心不明、两眼不亮。

③ 五虎群羊阵：《形意拳谱·五虎群羊阵势》："却说五虎群羊阵势：眼不

精为一虎，口不精为一虎，鼻不精为一虎，耳不精为一虎，舌不精为一虎……言不精中了他桃李边机谋，眼不精中了他飞沙走石，耳不精恐跑南倒往北行，鼻不精中了他麝香蒙汗之气，舌不精尝不出水里边什么滋味。”由此，五虎群羊阵是指自己五官不精灵，眼睛的观察、语言的交锋、鼻子的嗅觉、耳朵的听觉、舌的味觉迟钝或失误（而使贼人得逞）。

④ 三前：即眼前、手前、脚前。三前明，就知道眼往哪看、手往哪出、脚往哪去，才能在动作同时做到“眼要毒，手要奸，脚踏中门往里钻”“眼有鉴察之精，手有拨转之能，脚有行程之功”，心一动浑身俱动，全身没有一处慵懒的地方。

⑤ 挈网领矣：抓住渔网的大绳了。挈：提。网领：渔网的大绳。

⑥ 精灵之气：又精微又灵敏的感觉和反应。

⑦ 肄业：修业。

## 参考译文

“五行”虽然完备了，但是“八要”不知，也难称得上是完全的整体。“八要”之中，“三星”不明，必然倒在“五虎群羊阵”中；“三尖”不对正，必然有身体偏斜的毛病；“三意”不相连，必定学业还浅；“三前”不知，必定会心动身不动，手脚都会慵懒。内五行不提，精神不能振作；外五行不随，四稍不能齐一；齿不叩，则气息不能均匀；舌不顶，则力量容易使尽。学者到此地步，“三星”已明，也就没有什么“五虎群羊阵”；三尖必能对正，以避免左偏右斜之病；三意必能相连，脉络因而贯通；三前已能明了，心一动浑身都动。内五行一定提得起，已经抓住了纲领；外五行一定随得上，四肢都能快速动起来；齿能即时叩合，气也不会涌出了；舌一顶上腭，也能面不改色了。一身的前后、左右、上下、四方、长短、宽窄，无不具备又精微、又灵敏的感觉和反应。功夫修习到此，已经达到形意武术的标准了！学者何不抓紧学习“八要”，来操练它的全体功夫呢？

# 全体篇第五章

一身即明[①]八要，三才亦不可不急讲也。头为天，两脚为地，腹为人。分为三节，内藏八式。八式为何？头为一式，取乎“天一[②]”之意；足与膝各为一式，取乎“地二”之意；腹有五行，取乎金木水火土属于五脏心肝脾肺肾，言人生必需之物。故天能生物，地能长物，人能成物。故“兼三才而两之”，《易》曰“六者非它，三才之道也”。[③]练艺必明三才，而后一身无不备之术矣。所以术谱有云[④]：“上节不明，浑身是空；中节不明，多出七十二把神变；下节不明，多出七十二盘跌。”三才不明，其害如此之大，故练是艺者，必先识头为一式，脚为一式，膝为一式，两手为一式，两肘为一式，两肩为一式，两胯为一式，臀尾为一式。虽则三才八式，约不脱[⑤]丹田之能力。丹田涌力，四大皆空，所以视人如蒿草，胆上似雷鸣，不怕身大力猛，遇之即败。一身有恃无恐者，惟伏[⑥]三才之道也！



注 释

① 即明：已经明白了。

② 天一：《周易·系辞上》："天一，地二，天三，地四，天五，地六，天七，地八，天九，地十。"这是说河图之中，五个奇数是天数，五个偶数是地数（据朱熹《周易本义》）。

③《易》曰"六者非它，三才之道也"：按，《周易·系辞下》："易之为书也，广大悉备。有天道焉，有地道焉，有人道焉。兼三才而两之，故六。六者，非它也，三才之道也。"

④ 术谱有云：按，后面一段出自《形意拳谱·六合拳论》。

⑤ 约不脱：大约（都）离不开。不脱：脱不开。

⑥ 惟伏：只是仗着。伏：疑为"仗"，形近而误。

## 参考译文

已经掌握了"八要"，"三才"也不可不赶紧讲求。头为天，两脚为地，腹为人。共分为三节，里面藏着八式。八式是什么？头为一式，取"天一"的意思；足与膝各为一式，取"地二"的意思；腹中有五行，取金木水火土属于五脏心肝脾肺肾的意思，金木水火土都是讲人生必需的东西。故而天能使物产生，地能使物长大，人能使物成熟。所以"兼有天地人三才而再各分为二爻（故成为六爻）"，《周易》里面说"六爻不是别的，就是天地人三才之道"。练艺必须明白三才的道理，而后才能全身没有不具备的技术。所以拳谱上说："上节的要领没搞清，浑身都是空当；中节的要领没搞清，对方就会使出拳、把的各种神妙变化来制我；下节的要领没搞清，对方就会使出各种盘跌方法来跌我。"三才不明，其害处如此之大，故练这种武艺的人，必须先认识头为一式，脚为一式，膝为一式，两手为一式，两肘为一式，两肩为一式，两胯为一式，臀尾为一式。虽然分为三才八式，大约都不能脱离丹田之力。丹田要能源源不断地涌出内力，就会觉得四大皆空，所以才能看人如蒿草，胆上似雷鸣，不怕对方身大力猛，只要双方一接触就让他失败。之所以我都能够有恃无恐，就是仗着对三才之道全面、透彻的把握！

# 全体篇第六章

内外隔阂，一体[①]犹有遗憾焉。大凡天下事，合则成，离则败，此古今来不易之常经[②]也。试观天地相合则降雨，日月相合云变色，兄弟相合则家道昌，夫妇相合则万物生，兵将相合则战必胜，五族共合则国必强，凡事如斯，不胜枚举。而练形意武术者，岂可使内外隔膜哉！然内三合要静，外三合要动，内三合难练，外三合易全，何也？外三合有迹，内三合无形。外三合，即是手与脚合，膝与肘合，肩与胯合。术谱云："上法须要先上身，手脚齐到方为真。"又云："手去脚不去则枉然，脚去手不去亦枉然。"言手脚非相合则不能往有功[③]，此外三合之明证也。内三合：心与意合，意与气合，气与力合。心与意不合，必至扞格[④]难通；意与气不合，必至手齐、脚不齐；气与力不合，必至拳去空回[⑤]。所以内三合，心一动，意即随，气要敌[⑥]，力要催，手去脚去不失规。体育到此，已得六合之真体矣！



**注释**

① 一体：全体，整体。

② 常经：常道，常规。

③ 往有功：指出手能够取得成功。

④ 扞格：相互抵触，格格不入。

⑤ 拳去空回：拳打出去得不到预期的结果。

⑥ 气要敌：气要敌得上意和力。敌：相当，匹配。

### 参考译文

内外隔阂不通，整体上还有遗憾。大凡天下的事情，合则成，离则败，这是古往今来不变的常规。试看天地相合则降雨，日月相合则云变色，兄弟相合则家道昌盛，夫妇相合则子孙繁衍，兵将相合则作战必胜，五族共合则国家必强，各种事情都是如此，不能一一列举。练形意武术的人，哪能让内外隔膜不通呢！然而内三合要静，外三合要动，内三合难练，外三合易做，为什么？外三合有形迹，内三合无形迹。外三合，即是手与脚合，膝与肘合，肩与胯合。拳谱说："上法须要先上身，手脚齐到才为真。"又说："手去脚不去是白搭，脚去手不去也是白搭。"这是说手与脚非相合则不能出击有效，这是外三合的明证。内三合：心与意合，意与气合，气与力合。心与意不合，必然导致心与意扞格难通；意与气不合，必然导致手齐脚不齐或者脚齐手不齐；气与力不合，必然导致拳去空回而无效。所以内三合里面，心一发动，意就随之发动，气也要与意配得上，力也要催出去，手去脚去不失规矩。体育修炼到此地步，已经达到六合的真正要求了！

# 全体篇第七章

天下事有宜缓者，速则不达；天下事有宜急者，迟则必败。试观《诗·豳风篇》咏农人之诗云："昼尔于茅，宵尔索绹，亟其乘屋，其始播百谷。"作农者如是，练艺者亦然。我出势迂缓[①]，彼则早为之防。所谓"出其不意，攻其不备"者之谓何也？我法一出，令敌人迅雷不及掩耳，不怕敌人身大力猛，动则即败，惟恃[②]"疾"之一字有以当之[③]。术谱云："两手不离身，手脚去快似风；疾上更加疾，打了还嫌迟。"此正形容"疾"之一字，为练形意武术保命金丹，学者岂可忽诸[④]！试观"手脚法"[⑤]所云："去意好似卷地风"，又云："打破硬进无遮拦"，此于"疾"字加倍形容法，学者既得"疾"字要诀，而全体之备已无余意矣！



注 释

① 迂缓：迂回缓慢。迂：迂回，绕远。

② 惟恃：就仗着，就靠着。

③ 有以当之：发挥作用。

④ 忽诸：忽视它。

⑤“手脚法”：指《形意拳谱·手足法》。

## 参考译文

天下的事有应该缓办的，快了反而办不成；天下的事有应该急办的，慢了就会坏事。试看《诗·豳风·七月》歌咏农人的诗说：“白天割回茅草，晚上制作绳索，再抓紧上房把屋顶修补好，因为年后就要开始播种百谷（那时，就没有时间干这些活儿了）。”务农的人如此，练艺的人也是这样。我方要是出势迂回缓慢，则对方早已做好防备（那还会有什么效果呢?）所谓“出其不意，攻其不备”，这是说什么呢？我的打法一出，必须让敌人迅雷不及掩耳。不怕他身大力猛，一动就打败他了，这种效果就是一个“疾”字发挥作用。拳谱说：“两手不离身，手脚去快似风；疾上更加疾，打了还嫌迟。”这正是形容这个“疾”字，是练形意武术的保命金丹，学者哪能忽视它！试看《形意拳谱》中“手脚法”所说：“去意好似卷地风”，又说：“打破硬进无遮拦”，这里对于“疾”字更是加倍重视。学者既已掌握了“疾”字要诀，那么全体完备，已没有别的了！

# 全体篇第八章

人有四稍，即牙为骨稍，舌为肉稍，指甲为筋稍，周身毛发为血稍。四稍缺一，体不全焉。舌宜顶上腭，令浑身肉体均活，别无偏枯之弊，今则肉体俱振[①]矣。齿宜叩，令周身骨节灵通，而无不精之处，今则骨节灵通矣。甲宜平，今则手脚如一，而无畸轻畸重之患，所谓筋骨如一矣。毛发宜振，令浑身血脉均振，贯彻于上下之间。练艺至此，周身几无隙地，正俗语云：所谓“毫发无遗憾，波澜到老成。”[②]《大学》所谓：“表里精粗无不到，一身之全体大用无不明矣！”自修身至此，内则诚意正心[③]，外则齐家治国[④]，一身之体统均备，学者至此，庶几与形意武术之道不甚相远矣！



注 释

① 振：振作。

② 毫发无遗憾，波澜到老成：这一句诗出自唐代大诗人杜甫的《敬赠郑谏议十韵》：“毫发无遗恨，波澜独老成。”杜甫是说文章的造诣，这里是说拳术的造诣。

③ 诚意正心：这里指“内三合”。

④ 齐家治国：这里指“外三合”，一直到本章所讲的“四稍齐”。

## 参考译文

人都有四稍，即牙为骨稍，舌为肉稍，指甲为筋稍，全身毛发为血稍。四稍里面缺少一稍，整体上就不全了。舌尖要顶住上腭，让浑身肌肉灵活，再没有偏枯的毛病，则肌肉就都振作起来了。齿要叩住，使全身骨节灵通，而没有不精密的地方，就骨节灵通了。手指、脚趾要一齐抓劲，使手脚贯通成为一个整体，而没有偏轻偏重的毛病，就达到所谓的筋骨如一了。毛发要振作起来，使浑身血脉都振作起来，贯彻到上下各部之间。练艺到这种程度，周身几乎没有空隙之处了，这正是俗话所说的：“一点毛发那样微小的遗憾都没有了，他的艺术修养已经从波澜壮阔归于平淡老成。”这也正是《大学》里所说的：“各种事物的表里精粗无不研究透彻，自己一身的全体大用无不明白畅达了！”从修身篇到这里，在内则诚意正心，在外则齐家治国，一身的体统俱备，学者到此，才与形意武术之道差得不很远了！

# 全体篇第九章

四稍虽平，不明虚实之理，体亦难得完全矣。虚实者，真假之谓也，明乎真假之理，进退起落之势，形意武术之功用已思过半矣！虚是精也，实是灵也，精灵皆有，方成其为虚实也。即精灵皆有，方成虚实之全体也。有精无灵，虽艺业精通，遇事拘泥，不知随时变化，亦难百战百胜，体育尚少欠缺焉。有精有灵，武艺既通，而又随机变化，与人交手，不怕敌人诡计百出，我则因应咸宜[①]，亦不能令敌人讨去半分便宜。所谓有精有灵，即有虚有实、有真有假也。由修身至虚实，练形意武术之功夫已至九成矣！以后勤加训练，功夫日加邃密[②]，虽不能远迈乎[③]古人，由此循序而进，得阶而升，险关莫阻，自至诚可及入室升堂，岳武穆之功庶几不坠[④]矣！



注释

① 因应咸宜：或随顺（不动）或应对（接招），都恰到好处。因：依据，随顺。应：应答，应对。

② 日加邃密：一天比一天精深。邃：深。

③ 远迈乎：远迈于，远超过。迈：超过。

④ 不坠：不失（传）。

## 参考译文

四稍虽然一齐发动起来了，但是要不明虚实之理的话，整体也还是难以完备。虚实，说的就是真假，明白了真假之理，进退起落之势，形意武术的功用已经达到多一半了！虚是精明，实是灵验，精明与灵验都有，才成其为虚实。也就是精、灵都有，才能构成虚实的整体。有精而无灵，虽然艺业精通，但是遇事拘泥保守，不知道随时变化，也难以百战百胜，在武术上还稍有欠缺。有精又有灵，则武艺既通，而又能随机变化，与人交手时，不怕敌人诡计百出，我则都能随顺、应对得恰到好处，不让敌人得到一点便宜。所谓有精有灵，就是有虚有实、有真有假。由修身篇到虚实篇，练形意武术的功夫已经达到九成了！以后再勤加训练，功夫一天天精深，虽然不一定能远超古人，但是由此按着顺序进步，沿着台阶提高，各种险关阻挡不住，从至诚开始最终达到入室升堂，那么岳武穆留下的功夫也就不会失传了！

# 全体篇第十章

天命之谓性[①]，穷理尽性以至于命[②]之谓诚。学形意武术者，人道也，故以培养丹田为入手之根基，所以修身篇居首。修身当何所据[③]？非练形意武术不可，故武术篇次之。武术本于五行，故五行篇又次之。五行必得八要，故八要篇又次之。既明八要，不知三才，尚不为功也，故三才篇又次之。三才既明，内外不合，亦难统一而理[④]，故六合篇又次之。内外既合，用法迂缓，亦难出奇制胜，故疾篇又次之。知用法宜疾，四稍不振亦枉然也，故四稍篇又次之。四稍既已展开[⑤]，不明虚实之理，全身无一点灵精之气，修身之道尚未达到目的也。惟精灵俱备之后，内而丹田，外至四稍，无处微有缺点焉，谓之全体，宜乎不宜？



注释

① 天命之谓性：按，《中庸》："天命之谓性，率性之谓道，修道之谓教。"

② 穷理尽性以至于命：出自《周易·说卦》。

③ 当何所据：应当根据什么。

④ 理：调理。

⑤ 四稍既已展开：按《形意拳谱·六合拳论》："起手横拳势难招，展开四平前后稍（梢）。"

## 参考译文

天所赋予的叫作本性，穷究事物的原理、充分发挥人的本性，进而明了天命叫作诚。学习形意武术，是一种充分挖掘和发挥人的天性的人道（即"尽性"），故而以培养丹田为入手的根基，所以将修身篇放在首位。修身应当怎么来进行？非练形意武术不可，故而将武术篇放在第二位。武术的根本是五行拳，故而将五行篇放在第三位。五行拳必须得遵守八个方面的要求，故而将八要篇放在第四位。明确了八要，不懂得三才，还不算尽了全功，故而三才篇又在次一位。三才已明，内外要是不合，也难以统一而调理，故而六合篇又在次一位。内外已合，用法迂回缓慢，也难以出奇制胜，故而疾篇又在它的次一位。知道了用法要疾，但是四稍不振也是徒然，故而四稍篇又在其次。四稍既已平均展开，但不明虚实之理，全身没有一点精灵的气象，修身之道还是没有达到目的。只有精灵全备之后，从内部的丹田，到外面的四稍，不存在一点稍有缺点的地方，这时称为完美的整体，就可以了吧？

# 阵法篇

## 阵法篇第一章

古有阵法，今无阵法，何也？世纪不同也。上古车战，中古马战、步战，所用兵械亦异，无非刀、斧、叉、棍、枪、棒等物。专讲人力，巧则胜，劣则败，故阵法不可不急讲也。降至近世，由弓马世界递进而至药弹世界，阵法愈归无用矣。两军对垒亦是优胜劣败，然不论人力拙巧，惟恃机器当先。敌人在数里之外，既用远攻炮以击之，少近又用野战开花机关等炮以射之，又近方用马步枪，再近仍用手枪，交手之仗，百次不能遇一，阵法曷能[1]施其伎俩？然用兵一途[2]，可以百年而不用，不可一日而不备，故设阵法一门，为练形意武术者以备不虞[3]，何也？设一人以[4]二人相遇，彼则各持枪刀，我两手空空，果有陈处女[5]空手入白刃之能，亦可以胜之；假如我仅数十人，彼人多我数倍，此阵法必备所由来也！

注释

① 曷能：何能，哪能。

② 一途：一道。

③ 不虞：不测。虞：臆测，料想。

④ 以：疑为“与”，音近而误。

⑤ 陈处女：疑为“越处女”，春秋时越王勾践聘请来传授军队击刺之术的剑术家，见《吴越春秋·勾践阴谋外传第九》。

## 参考译文

古代有阵法，现代没有阵法，为什么？时代不同了。上古时的车战，中古时的马战、步战，所用的兵器虽然不一样，但无非是刀、斧、叉、棍、枪、棒等冷兵器。那时专靠人的战斗力，巧妙则胜，拙劣则败，故而阵法不可不加紧讲习。到了近代，由弓马世界演变到弹药世界，阵法越发归于无用了。两军对垒，虽然还是优胜劣败，然而不再讲究人力的拙巧，只是靠武器当先。敌人在数里之外，就已经用远攻炮轰击，稍近一点又用野战、开花、机关等炮来射击，再近了才用马步枪，更近则用手枪，（像过去那样的）白刃战，百次不能遇上一次，（在这种情况下）阵法怎能发挥它的作用？然而用兵布阵这一套，可以百年而不用，却不可一日而不备，故而仍设阵法这一门课程，教给练形意武术的人以备不测，为什么？假设一个人与两个人遭遇，人家两人各持枪刀，而我则两手空空，我要是真有越女空手入白刃的本事的话，也可以战胜对方（否则的话，还是要讲究阵法）；又假如我仅数十人，对方人数多过我数倍（这时就更要讲究阵法了），这就是阵法必备的理由。

# 阵法篇第二章

阵法之设，宽敞则易，狭窄则难。地方空阔，与敌相遇，各负一嵎[①]，用炮远击。炮弹一疏，知敌人前进，我则急布横阵以待之。横阵之法，如敌由何方来，我则向何方布横队以要之[②]。彼此相隔不可过远，不可太近。过远，散则易，聚则难；太近碍敌人弹线，必至多伤我兵。行军以不伤人为主脑[③]，若以人垫道，有背[④]天地好生之德[⑤]，所以白起之罪，上通于天[⑥]。布置疏密合宜，各用随身军械挖[⑦]，影身伏于其中[⑧]，我能视敌，敌不能视我，我得以用弹向彼勇击。彼若退缩，我仍依布置如法而进，不将敌人逐出战线之外而不止。敌人一出战线即败北[⑨]也，我则军乐奏凯，歌唱而还营，此即横阵行军必用之要著[⑩]也。下章言短兵接战之要领。



注释

① 各负一嵎：各自占据一边。负：背靠。一嵎：一边。嵎同“隅”。

② 要之：拦截它。要：通“邀”，中途拦截。

③ 主脑：主旨，中心。

④ 有背：有悖于。

⑤ 好生之德：爱惜生灵的美德。《尚书·大禹谟》：“与其杀不辜，宁失不经。好生之德，洽于民心，兹用不犯于有司。”

⑥ 白起之罪，上通于天：按，战国时，秦将白起指挥秦赵长平之战，坑杀赵国降卒四十余万，所以这么说。

⑦ 挖：此处当有缺字，或为“挖壕”。

⑧ 影身伏于其中：隐蔽身体埋伏在里面。影：隐蔽。

⑨ 败北：失败。

⑩ 要著：要领。

## 参考译文

兵阵的布设，宽敞的地方就容易，狭窄的地方就困难。地方空阔，与敌人相遇时，双方各自占据一边，用炮远击。炮弹一稀疏，就知道敌人要前进了，我方赶紧布成横阵等待他。布横阵的方法，假如敌方由哪个方向攻来，我就向着哪个方向布成横队来拦截它。我方兵士之间，彼此间隔不可过远，也不可太近。过远，则力量分散难以形成合力；太近，则正挡住敌人的弹线，必然导致我方兵员有更多的伤亡。行军打仗以不伤（自己）人为主，如果拿人命垫道去取得胜利，有悖于天地的好生之德，所以白起的罪，大得通到天上了。横阵的布置要疏密合适，大家各用随身军械挖好战壕，隐蔽身体埋伏在里面，我能看见敌人，敌人不能看见我，这样我就可以放开胆子用子弹向他勇猛射击。他若退缩，我仍按照布置好的横阵前进，不将敌人驱逐出战线之外就不停止。敌人一出战线就算败了，而我方则军乐高奏，高唱凯歌还营，这就是用横阵行军打仗必用的要领。下章再讲短兵器接战的要领。

# 阵法篇第三章

敌人仍进而不退，相隔数武[①]，声气[②]相闻，此新战法所谓交手仗也。我军官急喊上枪刺[③]，哨呼一声，伏军麕集[④]，仍向敌人成一横阵，正[⑤]新战法所论原则之谓也。何谓原则？即是以横起、以横收之谓也。我兵成横队之后，或以枪刺作长枪用，进步连环，可以远取；或以枪刺作刀剑用，腾挪闪展，可以近攻。所谓成法在心，借形于手。犹必平夙[⑥]勤加训练，或五人一排，或十人一排，或数十人一排，步伐整齐，手腕敏捷，用劈攒炮钻横五行法。或枪或剑[⑦]，一往直前；或进或退，操纵自如。用法不为法所捆，方能操必胜之券也。孙武兵书云：养兵千日，用军一时。是勉励轻于视兵者[⑧]，平日不振一旅[⑨]，不演一师，一旦有事，驱羊斗虎。众之死生，国之存亡系焉，所谓三军司令者此也。



注 释

① 数武：数步。

② 声气：声音和气息，即说话和呼吸的声音。

③ 枪刺：步枪上的刺刀。

④ 麕集：群集。麕：通“群”。

⑤ 正：正是。

⑥ 平夙：平素。

⑦ 或枪或剑：或用枪法，或用刀剑法。按：枪指枪法，即刺扎法；剑指刀剑法，即劈砍法。

⑧ 轻于视兵者：轻视（于）练兵的人。

⑨ 不振一旅：不能整顿好军队。振旅，整顿军队。《左传·隐公五年》：“三年而治兵，入而振旅。”杜预注：“振，整也。旅，众也。”

## 参考译文

假如敌人仍然只进不退，两军相隔只有数步，声音和气息都互相听得到了，这就是新战法所说的白刃战了。这时我方军官急喊上枪刺，一声唿哨，我方伏兵迅速聚集，仍向着敌人保持一个横阵，这正符合新战法所讲的原则。什么原则？就是以横起、以横收的原则。我兵成横队之后，或把枪刺当作长枪使用，向前进步，连环刺杀，可以攻杀稍远的敌人；或把枪刺当作刀剑使用，腾挪闪展，可以斩杀迫近的敌人。所谓成法在心，表现在手。还必须平素勤加训练，或五人一排，或十人一排，或数十人一排，步伐整齐，手法敏捷，用劈搠炮钻横五行法。或用枪法，或用刀剑法，一往直前；或前进，或后退，操纵自如。使用成法但不被成法所束缚，才能稳操胜券。孙武的兵书上说：养兵千日，用兵一时。这是告诫轻视练兵的人，平日既不能整顿好军队，也不能训练好军队，一旦有战事，就如同驱赶着羊群去与虎斗，兵众的死生，国家的存亡都系于一身，把战争的指挥员称为三军司令的原因就在这里。

# 阵法篇第四章

横阵施于宽敞，若遇隘巷、或山沟、或树木丛杂之处，应用纵阵。前后成行，占长不占宽，厚结兵力。前节向前而击，两腮向斜线而击，两边向左右而击。若与敌身临切近[①]，仍按排前近，纪律不乱。仍用五行劈刺等术。前军稍退，后军继进[②]，使余勇可贾[③]，不令力尽[④]。虽乱不失整，忙则不失之暇，以整以暇[⑤]，此古今来行军必胜之道也。惟在平日教练精严，若教练不齐，安得能整？胸无纪律，大敌当前，张皇失措，晋荀林父[⑥]以丧师辱国号为庸材，安得能暇？出兵之道等[⑦]奕棋，多算胜，少算不胜。若凭一勇之夫，算亦胜，不算亦胜，汉留侯[⑧]何贵乎[⑨]运筹帷幄之中，决胜于千里之外哉？惟望职是役者[⑩]郑重思之。



注释

① 切近：特别接近。

② 继进：接着前进。

③ 余勇可贾：剩余的勇力还可以出售。《左传·成公二年》："欲勇者贾余

余勇。”杜预注：“贾，买也。言己勇有余，欲卖之。”

④ 不令力尽：不让力量使尽。

⑤ 以整以暇：又整又暇，又整实又从容。

⑥ 荀林父：即中行桓子，春秋时晋国正卿，字伯。晋景公三年（公元前597年），任中军元帅，在晋楚邲之战中，因诸将不睦，为楚所败。

⑦ 等：等于，相当于。

⑧ 汉留侯：即张良（？—前189），字子房。相传为城父（今河南宝丰东）人，刘邦的最重要谋士。汉朝建立后被封为留侯。

⑨ 何贵乎：为什么要重视。

⑩ 职是役者：负责军队管理的人。职：负责。是役：这种工作（指军队管理）。

## 参考译文

横阵适合在宽敞的地方使用，如果遇到隘巷、山沟或树木丛杂之处，应当使用纵阵。前后成行，占长度不占宽度，把兵力集结成一定的厚度。前节向正前方进击，两腮向斜前方进击，两边向左右方进击。假如与敌人特别接近，仍应按排前进，纪律不乱。仍用五行劈刺等方法。即便前军稍稍退却，后军也可以接着进击，使整个部队勇气不竭，不让战斗力用尽。虽然战况瞬息万变但不失整体配合，虽然忙于格斗而内心不失安闲，又整实又从容，这是古今以来行军打仗的必胜之道。然而，这就在于平日里训练精细严格，假如平日训练不齐，战时哪能达到整？胸中没有纪律，大敌当前，张皇失措，就像春秋时晋国的荀林父因为在邲之战中计划不周、纪律混乱而丧师辱国，被称为庸才，像这样哪能做到安闲从容？出兵打仗相当于下棋，算计多的胜，算计少的不胜。要是仅凭自身的勇敢，算计能胜，不算计也能胜，那么汉时的留侯张良为何对“运筹于帷幄之中，决胜于千里之外”那么看重呢？希望负责军队管理的将领们郑重考虑。

# 阵法篇第五章

今之阵法无多，无非纵、横二式。纵利于窄，横利于宽，惟在当局者因时制宜，不可拟于成法。如我军按地势宜用横阵，用窥远镜察敌人之布制①，于我阵有不利，我不可入其术中，疾变纵阵之势以待之。诸葛武侯论兵法云：用兵之道，令其变化不拘，神鬼莫测，令人不可捉摸，此必胜之道也。若胶柱鼓瑟②，不察可否，不论是非，法从心生③，从违任惟④，安所谓⑤"临事而惧，好谋而成"⑥？按⑦练形意武术，阵法一门俱属无用，惟⑧目下此道盛兴，三年后各营必要添此门功课，故谆谆告诫，不厌其烦，望军籍同胞⑨亦不可河汉⑩斯言也。



注释

① 布制：即布置。

② 胶柱鼓瑟：比喻固执拘泥，不知变通。出自《史记·廉颇蔺相如列传》。

③ 法从心生：从心里任意生出方法来。

④ 从违任惟：当指机械地执行上级的指示。从违：顺从和违背，这里单指

顺从。任惟：即“执钧”，指掌握大权的人。古语有“任惟执钧”，是说某人的职责是掌握大权。

⑤ 安所谓：哪里称得上。

⑥ 临事而惧，好谋而成：面临任务便恐惧谨慎，善于谋略而能完成。《论语·述而》：“子曰：‘暴虎冯河，死而无悔者，吾不与也。必也临事而惧，好谋而成者也。’”

⑦ 按：考察。

⑧ 惟：只不过。

⑨ 军籍同胞：登记在军籍中的同胞，即军人。

⑩ 河汉：指不相信或忽视（某人的话）。

## 参考译文

现今的阵法没有多少，无非是纵、横两种形式。纵队有利于狭窄的地形，横队有利于宽阔的地形，只在于当事人因时制宜，不可拘泥于既定的成法。比如我军按地势应当用横阵，但是用望远镜观察敌人的布置，对于我的横阵不利，则我不可落入他的圈套，应当立即变为纵阵来应对它。诸葛武侯论兵法说：用兵的方法，要让它变化不拘，神鬼莫测，使对方不可捉摸，这是必胜之道。如果胶柱鼓瑟，不考虑可否，不分析是非，或者主观武断，或者机械地执行上级的指示，这哪是所谓的“临事而惧，好谋而成”呢？练习形意武术，阵法这一门本属于无用，只不过眼下此道盛行，三年后各营一定会增添这门功课，故而谆谆告诫，不厌其烦，望在军籍中的同胞也不要把它当作泛泛的空话而轻视它。

# 阵法篇第六章

一阵名鱼丽阵式[①]，欲化纵、横均便。阵之始编于东周列国郑之高渠弥[②]，法以五人为伍，每队用五伍二十五人，纵横均成一数[③]。当战齐[④]之时，原车战之法若按其排化之[⑤]，正合宜今之步战之用。步战之法最利进攻、退守、左顾[⑥]、右盼[⑦]。若用鱼丽阵法，每排五人，纵横一律。若令各边排[⑧]均各向正面看，几[⑨]成四方阵，即前清时代费大药[⑩]放土枪、佛郎机[⑪]等枪阵式，谓之“方城子”是也。若遇宽阔之地，令后三排分向[⑫]前二排两头前后成二排，即成前篇所谓横阵法是也；若遇狭窄地势，令右三排向左二排后共成二排，即上篇所谓纵阵是也。变化随心，纵横如意，此阵是也。



注释

① 鱼丽阵式：古代车战的一种阵法。参见《左传·桓公五年》。

② 高渠弥：（？一前694），春秋时期郑国大夫，公元前707年，他统帅郑军，用鱼丽阵法打败周王室的联军。参见《左传·桓公五年》

③ 均成一数：均成一伍之数（即五人）。

④ 战齐：疑为“战起”。

⑤ 若按其排化之：如果按它的排布化用。

⑥ 左顾：向左防御与进攻。

⑦ 右盼：向右防御与进攻。

⑧ 各边排：各行列。

⑨ 几：几乎，差不多。

⑩ 费大药：耗费火药。

⑪ 佛郎机：一种火炮。

⑫ 分向：分别向。

## 参考译文

还有一种阵法叫作鱼丽阵，由这种阵法转变为纵阵或横阵都很便利。这种阵法始于东周列国时郑国的高渠弥，方法是以五个人为一“伍”，每队用五“伍”，共二十五人，纵、横均成为一“伍”的人数。当战斗的时候，原来的车战方法如果按它的行列布置变通一下，正适合现今的步战使用。步战的方法最利于进攻、退守、左顾、右盼。如果用鱼丽阵法，每排五人，纵横一样。要是命令各行各列均各向正前方看，几乎成为一个四方阵，即前清时代用火药放土枪、佛郎机等枪的阵式，当时叫作“方城子”。如果遇上宽阔的地方，命令后三排分别向前两排的两头移动，组成前后二排，即成为前篇所说的横阵；如果遇上狭窄地势，命令右面的三列向左面两列的后头移动，共成两列，即成为上篇所说的纵阵。变化随心，纵横如意，这种阵法就是了。

# 阵法篇第七章

横阵可化圆形阵。其式者，敌军少我一倍，我用此等阵以包剿之法。两边稍向前，中间稍退，敌人必结力向前。我两稍递面[1]，敌人如馒首馅[2]，尽在我范围中矣，敌人不几[3]全军尽行覆没？此等变化均非一定方针，随时变迁者。未出师先预算某处宜若何布置，某处宜若何布置，及至大敌当前，仓皇失措，安所谓因应咸宜哉！惟在主司令者[4]，胸有成竹，用无滞机[5]；事变当前，能变事而不为事所变，斯为善于变化者矣！望后世治兵之家[6]勤于训练，博读书史，处为纯儒[7]，出方可为名将[8]，岂易易[9]哉！岂易易哉！



注释

① 两稍递面：疑为“两稍递进”。

② 馒首馅：馒头馅。

③ 几：几乎，几于。

④ 惟在主司令者：就在于主持指挥的人。司令者：掌管发布命令的人。

⑤ 用无滞机：运用起来没有滞涩的时候。

⑥ 治兵之家：学习军事的人。治，治学，学习。

⑦ 处为纯儒：平时做一个真正的读书人。处，居家（时），平时。

⑧ 出方可为名将：出去打仗时才有望成为名将。出：出山（为国家效力）。

⑨ 易易：很容易。

## 参考译文

横阵也可以化为圆形阵。其形势是假如敌军少我一倍，我可以用这种阵法来包围剿灭对方。横阵的两边稍向前进，中间稍向后退，这时敌人一定会合力向前。我军再两头向敌后包抄，敌人就像馒头馅一样，全部在我的包围圈里了，敌人还不得全军覆没吗？但是这种变化都没有固定的方法，是随着当时的战况变出来的。如果还没有出师，就先预算某一处应该如何布阵，另一处又应该如何布阵，而等到大敌当前的时候，却仓皇失措，这哪里算得上顺随和应对都合适呢？所以就在于主持指挥的人，胸有成竹，运用起来没有滞涩的时候；事变当前，能驾驭事变而不被事变所左右，这才是善于变化运用的人！希望后世学军事的人勤于军事训练，博读经书史籍，平时做一个真正的读书人，出去打仗时才有望成为名将，这哪里是那么容易的？这哪里是那么容易的？

# 阵法篇第八章

纵阵亦可化为古之所名长蛇卷地阵者。我军一直而出，或双行、或单行，或数人一行、或数十人一行，惟视地方之容纳，定人数之多寡。敌人左多，我军左卷[①]；敌人右多，我军右卷[②]：亦可“灭此而朝食”[③]也。当后汉时，诸葛武侯斗阵辱司马仲达[④]时，即以一字长蛇阵变为长蛇卷地阵，仲达岌岌[⑤]乎被擒，幸被行军司马郭淮救出。由此观之，阵之一道贵乎变[⑥]。如我机险[⑦]已被敌人识破，我宜急变地方以对待之，若仍滞而不化，其不能害人反被人所害者，证之于古[⑧]，历历不爽[⑨]。综之，布阵惟在善变，不善变，阵法必不精，偶一为之，亦是行险侥幸[⑩]之一端[⑪]，学者戒诸[⑫]。



注 释

① 左卷：向左卷击。

② 右卷：向右卷击。

③“灭此而朝食”：消灭掉它再吃早饭，形容急于消灭敌人的心情和必胜的信心。《左传·成公二年》：“齐侯曰：‘余姑翦灭此而朝食！’不介马而驰之。”

④ 诸葛武侯斗阵辱司马仲达：《三国演义·第一百回》作“汉兵劫寨破曹真，武侯斗阵辱仲达。”司马仲达，即司马懿，字仲达。

⑤ 岌岌：很危险的样子。

⑥ 阵之一道贵乎变：阵法这一门贵在于变。

⑦ 机险：机关。

⑧ 证之于古：用古代的史实来验证。

⑨ 历历不爽：清清楚楚，一点不差。

⑩ 行险侥幸：冒险行事，希图侥幸得逞。

⑪ 一端：一种。

⑫ 戒诸：戒除它。

## 参考译文

纵阵也可以变为古人所说的长蛇卷地阵。我军一直往前出击，或两列、或单列，或数人一列、或数十人一列，就看地方的容纳程度，来定人数的多少。敌人左面多，我军向左卷击；敌人右面多，我军向右卷击：用这种战法，也可以做到“先灭敌再吃早饭”了。在蜀汉时，诸葛武侯与司马仲达斗阵来羞辱他，就是把一字长蛇阵变为长蛇卷地阵，仲达险些被擒，所幸被行军司马郭淮救出来。由此看来，阵法这一门贵在于变。如果我的机关已被敌人识破，我应该急变阵法来对付他，假如仍然滞而不化，那就不能制人反被人所制，这样的例子，用古代的史实来验证，清清楚楚，一点不差。总之，布阵就在于善变，不善变，阵法一定不精通，偶尔做成一次，也是冒险行事、希图侥幸得逞的一种表现，学者要戒除掉。

# 阵法篇第九章

阵法一门，宜于古而不宜于今。古之两军相见，以鼓进，以金退①，兵刃既接②，强存弱亡，以分优劣。所以设各等③阵法，用重兵而困上将，此古阵法之设所由来也。降至今世，惟以枪炮当先，两军相隔数里，互相开炮，兵不见兵，将不对将，纵有公输④之巧、孟贲⑤之勇，技无所施，区区阵法有何益哉！况形意武术一艺，是体育一科，非行军之一路，姑于篇末存此数章，以补短兵接战之不足。若使盛行于世，临阵当先，恐贻笑于大方。若谓录此数章以供诸生风朝月夕互相比较、参观之意，则可；若谓两军对垒，冲锋陷阵，则不可也，敢妄谈哉？



注 释

① 以鼓进，以金退：以击鼓为前进的信号，以鸣金为后退的信号。

② 兵刃既接：兵刃既已相接。

③ 各等：各种。

④ 公输：春秋时鲁国巧匠公输，又称鲁班，被后世建筑工匠、木匠等奉为

祖师。

⑤ 孟贲：战国时勇士，卫国人，或说齐国人。

## 参考译文

阵法这一门学问，适用于古代而不适用于现代。古代两军相见，听见鼓声就前进，听见金声就后退，兵刃既已相接，根据强者存、弱者亡的规律，来分出优与劣。所以布设各种阵法，使用大量密集兵力可以围困对方的上将军，这是古代阵法设置的由来。到了现代，只是优先使用枪炮，两军相隔数里，就互相开炮，兵不见兵，将不对将，纵然有公输般那样的巧手、孟贲那样的勇力，也无法施展他的本事，小小的阵法又有什么用处呢！况且形意武术这一门艺术，只是体育的一种，而不是行军打仗这一路，姑且在篇末保存这么几章，是为了补充短兵接战时的不足。若想使它盛行于世，临阵时优先使用，就恐怕要被行家笑话了。若说记录这么几章来供各位学生在风朝月夕之时互相比较、参观，那是可以的；若说要将它用于两军对垒，冲锋陷阵，那是不行的，又哪能乱讲呢？

# 阵法篇第十章

以上数章所言，无非纵、横二式，并无特别新颖。然由此而千变万化，逾出逾奇[①]，亦取之不尽，用之不竭，亦不可谓于行军之道不无小补云[②]。惟阵法一事，非记者所长[③]；而变化一端，亦多蹋蹶[④]，言之殊多缺略[⑤]。惟望知兵之士，严行取缔[⑥]，料短取长，将此门指择[⑦]明白，令识者一望无余，了如指掌；使学者身未至其地，已识其机[⑧]。倘一旦身临其事，操纵自如，不至张皇失措，未战先北[⑨]，贻笑世人[⑩]也。若果如此，非特予一人之幸，亦社会之幸也；亦不只社会之幸，亦天下后世用兵之幸也，切盼！切盼！



注释

① 逾出逾奇：越变越奇妙。逾，或即“愈”。

② 云：句末助词，无义。

③ 非记者所长：不是笔者所擅长的。

④ 亦多蹋蹶：也多有跌跌撞撞、立论不稳之处。蹋蹶：走路不稳的样子。

⑤ 殊多缺略：有很多欠缺。

⑥ 严行取缔：严格进行取舍。取缔：去掉其中不对的地方，犹“取舍”。

⑦ 指择：指摘、捡择。

⑧ 已识其机：已经识破其中的机关。

⑨ 北：败北，失败。

⑩ 贻笑世人：贻笑于世人，被世人耻笑。贻：留。

### 参考译文

以上几章所讲的，无非是纵、横两种阵式，并没有特别新颖的地方。然而由此出发，千变万化，越变越奇妙，也是取之不尽，用之不竭，也可以说对于行军打仗不无小补。只不过阵法这件事，不是笔者所擅长的；而对于阵法的变化，也多有立论不稳之处，论述有很多欠缺。只希望懂兵法的人士，严格取舍，取长补短，将这一门讨论明白，让有识之士一望无余，了如指掌；使学习者身还未到那个地方，而已识破其中的玄机。倘若一旦亲临战事，能够操纵自如，不至于张皇失措，未战先败，给世人留下笑话。若能果真如此，则不只是我一个人的幸事，也是社会的幸事；也不只是社会的幸事，还是天下后世用兵之人的幸事，切盼！切盼！

# 形象篇

## 形象篇第一章

龙为水族之长，其为物最灵。《礼记》云：物有四灵，麟、凤、龟、龙。是为灵物①可知也。生于大海之深处，故世人见之者甚少；其为物至尊②，故专制时代拟诸人君之象；五经③之中亦数见不鲜，惟《易》为多。如乾卦“见龙在田”“飞龙在天”“见群龙”“云从龙”等，难以枚举。推④其为物，其在水族之中吸力最大，诸物为所辖，故拟诸⑤至尊⑥之象。形意武术论形象首取诸⑦龙，取其有缩骨之能，即魏武帝青梅煮酒论英雄⑧，以龙为喻云：“夫龙能大能小，大则兴云吐雾，小则隐介藏形⑨。”即“缩骨”之谓也。练艺者得其屈伸之法，已得龙形之梗概矣。



注释

① 灵物：犹神物，指不常见的祥瑞之物。按《礼记·礼运》：“何谓四灵？麟、凤、龟、龙谓之四灵。”

② 至尊：最尊贵。

③ 五经：五部儒家经典，始称于汉武帝建元五年（公元前136年），一般指

《诗经》《尚书》《礼记》《易经》《春秋》。

④ 推：推测，推想。

⑤ 拟诸：拟之于，比作。

⑥ 至尊：这里指天子、皇帝。

⑦ 取诸：取之于。

⑧ 魏武帝青梅煮酒论英雄：《三国演义·第二十一回》作“曹操煮酒论英雄，关公赚城斩车胄。”

⑨ 隐介藏形：隐藏了它的鳞甲和身形。介：通“甲”，鳞甲。

## 参考译文

龙是水中动物的老大，它是一种最有灵气的动物。《礼记》中说：动物中有四种神物，（分别是）麒麟、凤凰、乌龟、蛟龙。由此可知，龙是一种神物。龙生于大海的深处，故而世人见过的很少；它在动物中处于最尊贵的地位，故而专制时代用它象征人君；五经之中也数见不鲜，尤其《易》里面多见。如乾卦里的“见龙在田”“飞龙在天”“见群龙”“云从龙”等，难以一一列举。推测（因为）这种动物在水族之中的影响力最大，各种动物都被它管辖，故而象征至尊的皇帝。形意武术论形象首取于龙，取它有缩骨的本事，也就是魏武帝青梅煮酒论英雄，以龙为喻说：“那龙能大能小，大则兴云吐雾，小则隐介藏形。”这就是“缩骨”的意思。练武艺的人掌握了它的屈伸之法，就已经得到龙形的要领了。

# 形象篇第二章

虎为兽中之王，哮则生风。《易》云：“风从虎”是也。其性最猛烈，故人之好武则曰“虎将”，有威可畏。《诗》云：“有力如虎”[①]“矫矫虎臣”[②]。其为多力之兽可知也。形意武术贵其象者[③]，取其有善扑之勇。施耐庵云，虎有三扑、两剪之能，[④]即此意也。夫所以[⑤]姬公术谱咏两肘云：“肘要打去占胸膛，起手好似虎扑羊。”虎之能力在乎此也。至“熊出洞、虎离窝，”已将虎之形象描写殆尽！惟学者勤打虎扑之式，两肩用力，两肘随身，两□[⑥]裹胯，学扑羊之式，自得[⑦]虎形之梗概矣。



注 释

① 有力如虎：见《诗·邶风·简兮》：“有力如虎，执辔如组。”

② 矫矫虎臣：见《诗·鲁颂·泮水》：“矫矫虎臣，在泮献馘。”矫矫：勇武的样子。虎臣：勇猛的战将、战士。

③ 贵其象者：看重它形象的（原因）。

④ 施耐庵云，虎有三扑、两剪之能：见《水浒传·第二十三回》：“横海郡

柴进留宾，景阳冈武松打虎。”

⑤ 夫所以：之所以。夫：句首助词。

⑥ □：底本缺字。

⑦ 自得：自能得到。

## 参考译文

虎为兽中之王，咆哮时能产生风。《易》中说：“风从虎”就是这个意思。它的性格最猛烈，故有人好武则被称为“虎将”，表示他有威可畏。《诗》中说：“有力如虎”“矫矫虎臣”。由此可知它是一种力气很大的野兽。形意武术看重它的形象，是取它善扑的勇力。施耐庵在《水浒传》中说，虎有三扑、两剪的本事，就是这个意思。之所以姬公在拳谱中咏两肘说：“肘要打去占胸膛，起手好似虎扑羊”，是因为虎的特长就在于这一扑。至于拳谱中说的“熊出洞、虎离窝”，更是已将虎的形象描写殆尽。只要学者勤打虎扑之式，两肩松沉，两肘夹肋，两胯裹抱，学习它的扑羊之式，自然就得到虎形的大概了。

# 形象篇第三章

猴为兽中最灵之物，其种类甚繁，难以枚举，因其生产之地殊，故其名亦因之而异。猴，其种类之总名也。是物[①]生性最灵，以其得天地之精华独厚，故其形似人，亦善学人操作。惟好动不好静，故安逸时少，跳跃时多，世人多说“心猿”，此之谓也。身体藐小，矫捷异常，上树、纵山，如履平地，他物罕能及之。形意武术取是象者[②]，以其善纵也。细察猴之为物，其筋最长，故其身体柔软，纵之最远，蹿跳所以灵便也。学是象者，先由达摩老祖益筋经入手，以长其筋力，而日就月将，得筋之能力，使身体灵活，方得猴形之真髓矣。



注释

① 是物：这种动物。

② 取是象者：取这种形象（的原因）。

参考译文

猴是野兽中最灵活的动物，它的种类很多，难以枚举，由于产地不同，故而它的名称也不一样。猴，是这类动物的总名。猴子生性最灵，因为它得到的天地精华特别厚，故而它的样子像人，也善于学人的动作。只是好动不好静，所以安静的时候少，跳跃的时候多，世人多说“心猿”，就指的是猿好动。它身体藐小，矫捷异常，上树、爬山，如履平地，其他动物很少能比得上。形意武术取这种形象，是取它善于纵跳。仔细观察猴这种动物，它的韧带最长，故它的身体柔软，纵跃最远，蹿跳特别灵便。学这种形象，要先由达摩老祖的益筋经入手，来增长筋力，再坚持练习、日就月将，不断加强筋的弹性和力量，使身体灵活，那才算得到猴形的真髓了。

# 形象篇第四章

马为良兽，北产者尤嘉[1]，古人专讲大宛良马[2]，此明证也。生性调良，善解人意，俗传马能救主，事不敢保其必无，可信其理之所有。试观其子不欺母[3]一节，其品格自不与群兽为伍。性善跑，草地产尤佳。蒙人[4]之养马与南人[5]种地一辙[6]，故人人善骑。形意武术之内，有马之一象取其意。谱云："马有迹蹄之功"，是取跳蹿之能远。试观快马之行程，至其极快之时，后蹄之印地[7]能过前蹄一丈之外，武术取其能力在此。言练艺者，远者用脚，近者用手。前脚用提，后脚用催，身体一存，[8]即跳数武之外。操练久之，愈跳愈远。客岁[9]英国赛会[10]，一华人跳英尺十九尺四寸[11]，而夺头筹，所跳之远，无出其右者[12]，亦可见所练之马步精也。



注 释

① 尤嘉：尤其优良。

② 大宛良马：大宛的好马。大宛：古西域国名，在今中亚费尔干纳盆地，以出产汗血宝马著名。

③ 子不欺母：相传公马不与其母交配。

④ 蒙人：蒙古人。

⑤ 南人：中原人。

⑥ 一辙：一样（平常）。

⑦ 印地：踏地。

⑧ 前脚用提，后脚用催，身体一存：按，此句两个“用”字或为“一”字之误。存，缩身蓄势为“存”。

⑨ 客岁：去年。

⑩ 赛会：运动会。

⑪ 英尺十九尺四寸：约 5.9 米。

⑫ 无出其右者：没有能超过他的。

## 参考译文

马是一种驯良的兽类，北方出产的尤其好，古人专讲大宛良马，就是明证。马生性温顺驯服，善解人意，俗传马能救主，这种事不敢保证一定没有（也不能保证一定有），但这种道理是可信的。试看马不欺母这件事，就可以知道它的品格本来就与群兽不同。它善于奔跑，草原出产的尤其好。蒙古人养马与中原人种地一样平常，故人人善于骑马。形意武术里面，有一种马形，即是取它善于奔跑的意思。拳谱上说：“马有迹蹄之功”，是取它能跳蹿得很远。试看快马的行进，达到极快的时候，后蹄的踏地能超过前蹄一丈以外，武术取它的特长就在这里。这是说练艺的人，远的用脚，近的用手。前脚一提，后脚一蹬，身体一缩，就跳出数步之外。操练久了，愈跳愈远。去年英国开运动会，一个华人跳了 5.9 米而夺得冠军，（参赛者）没有能超过他的，由此也可见他所练马步的精妙了。

# 形象篇第五章

鲍之一物，五经不见其字，《尔雅》未详其形，惟《论语》“祝鲍”，宋宗庙祭祀祝官名也。然六经[①]不见，实难察考。又有言系水獭之别名，又有水浮之四足虫之谓，攘攘纷纷，无可究竟[②]。然据术谱所云：“鲍有捍水之精”，即[③]此理推之，是物必生之于水，断断然者。能浮于水面，可与水为浮沈[④]，不怕千丈之浪，万顷波涛，履之亦如平地也。形意武术取其意在乎此也。细考武术鲍形练法，两手穿插护头而拢[⑤]，来往有似抽丝之状，扬左手、左脚随之，扬右手、右脚亦然，此即鲍形也。姑存其形，以俟[⑥]博物君子[⑦]可也。

注 释

① 六经：六部儒家经典。即在《诗》《书》《礼》《易》《春秋》五经之外，另加《乐经》。

② 无可究竟：无法断定究竟（是什么）。

③ 即：就。

④ 可与水为浮沈：能够随着水的波动而沉浮。沈：同“沉”。

⑤ 扰：同“扩”，即横扩。

⑥ 俟：等待。

⑦ 博物君子：通晓各种事物的人。

## 参考译文

鲍这种动物，五经里面没有出现过，《尔雅》里面也没有记载它的形状，只有《论语》中有个祝鲍，是宋国（当为卫国）负责宗庙祭祀的祝官的名字。然而六经里面不见这个字，实难考察。又有说是水獭的别名，又有说是水中漂浮的四足虫的名称，攘攘纷纷，无法断定究竟是什么。然而据拳谱所说：“鲍有捍水之精”，就此理推测，这种动物一定是生活在水中，是可以肯定的。能浮在水面，可以随着水的波动来浮沉，不怕千丈高的大浪。即便是万顷波涛，也能如履平地。形意武术取它的意义在这里。细考武术中鲍形的练法，两手穿插，先护头、再横扩，手臂的来往有点像抽丝的样子。扬起左手、左脚随之进步，扬起右手、右脚也是如此，这就是鲍形。姑且把它的动作记在这儿，来等待博物君子的解释吧。

# 形象篇第六章

鸡，鸟属，声能司晨①。种类甚繁，亦难考究，北方惟有家鸡、野鸡之分。今以家鸡言之，雄者善斗。昔仲子路②初见孔圣人，雄冠剑佩。③仲由好勇，取善斗之意也。如两国相争，以决雌雄；勇将谓之英雄；宝剑亦分雌雄。鸡，能斗之意也。形意武术之中有鸡形，谱云，取其有欺斗之勇。观鸡之体态，抬腿、竦身④、拔胸、伸项。两鸡相斗，头破血出，不少退步，诚善斗者也。练形意武术者，欲学鸡形，细揣其抬腿、竦身，鸡与鸡相斗之状态，庶几得鸡形之要领矣。



注释

① 司晨：报晓。

② 仲子路：即子路，春秋末期鲁国人，仲氏，名由，字子路，孔子弟子。

③ 雄冠剑佩：按，《史记·仲尼弟子列传》："……子路性鄙，好勇力，志伉直，冠雄鸡，佩豭豚，陵暴孔子。"豭豚，即公猪。

④ 竦身：耸身。

## 参考译文

鸡属于鸟类，雄鸡能够报晓。鸡的种类很多，也难以考究，北方只有家鸡、野鸡的分别。现在就以家鸡来说，雄的善斗。过去子路初次见孔子的时候，头戴着有雄鸡装饰的帽子，腰佩着有公猪装饰的宝剑。仲由喜好勇武，他头戴鸡冠是取雄鸡善斗的寓意。又如两国相争，叫作一决雌雄；勇将被称为英雄；宝剑也分雌雄。鸡是能斗的意思。形意武术之中有鸡形，拳谱说，取它有欺斗之勇。观察鸡的体态，抬腿、耸身、拔胸、伸颈。两鸡相斗的时候，即便头破血流，也不会稍稍退步，真是善斗的动物。练形意武术的人，要学鸡形，就要细细揣摩它抬腿、耸身，鸡与鸡相斗的形态，这就差不多得到鸡形的要领了。

# 形象篇第七章

燕，识时[①]之小鸟也。秋南春北[②]，寒暑得宜。种类亦不甚繁，然生育极广，巢居于高楼大厦檐下房间。其额黑毛，白肚，两剪[③]黄色，鸣声嘎嘎者，谓之巧燕。性最洁，有粪衔出，不置窝内，生雏亦然，人多爱之护之。又一种，颔下紫点，两剪白色，语言呢喃之声，谓之拙燕。性与巧者相反，人多恶之[④]。此二者通谓之小燕。又有一种，成群大夥[⑤]，居城楼、宫殿之上，声鸣似鼠，谓之麻燕。形意武术十二形象所言："燕有抄水之精"，盖指小燕而言也明矣。每春夏之间，江河水面有小燕来往，以身浮水，似沾不沾，似游戏之意，形意家取是象者[⑥]，如面向转身不易，敌人斜向而来，只得用燕子抄水之法，左手勾开敌手，右手翻身向彼下三路还手，即抓裆之一势也，学者其知之否?



注释

① 识时：识别时令。

② 秋南春北：秋天往南，春天往北。

③ 两剪：两翅。

④ 恶之：厌恶它。

⑤ 成群大夥：成群结伙。夥：同“伙”。

⑥ 取是象者：取这种形象的原因。

### 参考译文

燕是一种能够识别时令的小候鸟。秋天往南，春天往北，寒暑得宜。种类也不很多，但是繁殖力很强，喜欢巢居在高楼大厦的屋檐下。它的领部长黑毛，白肚子，两翅黄色，鸣声嘎嘎的，叫作巧燕。生性最爱干净，有了粪就会衔出去，不留在窝内，生了雏燕时仍是这样，人们大多喜欢它、保护它。另外一种，领下有紫点，两翅是白色，声音像人呢喃说话，叫作拙燕。生性与巧燕相反，人们大多厌恶它。这两种通称为小燕。还有一种，成群结伙，住在城楼、宫殿上面，鸣声像老鼠，叫作麻燕。形意武术中十二形象所说的：“燕有抄水的技巧”，是指小燕来说的，这很明确。每年春夏之间，江河的水面上有小燕来往，用身抄水，似沾不沾，像是游戏的意思。形意拳家取这种形象，是假如面向对方时转身不易，敌人斜着打过来，我只得用燕子抄水的方法，左手勾开敌手，右手翻转身（即背朝对方）向他的下三路还击，即抓裆这个动作，学拳的人明白了吗?

# 形象篇第八章

鹞者，小鹰也，生性最恶[①]，自残其羽族[②]。然种类甚繁，惟有是癖者[③]，能辨别之。鹞者，是物之总名也。孟子云："为丛驱爵者鹯也。"[④]《诗·豳风》取子毁室[⑤]名鸱鸮，亦是物也。唐太宗酷好是鸟，常手持之而弄之，见魏征来，匿于怀中，征去鹞亦毙[⑥]焉。战国时，魏信陵君公子无忌[⑦]最恶是鸟，常捕数头而杀之。后世好是鸟者，不一而足，至前清时尤甚。形意武术载是鸟形[⑧]，取其有入林之巧。试观他鸟入林，皆直出直入，此独特别闪翅[⑨]而入，与他鸟不同。练艺者取其侧身闪展之象，不怕敌人封固甚严，我用鹞形亦可斜身而入，惟在学者善于因应[⑩]者尔。



**注释**

① 最恶：最狠毒。

② 其羽族：它的同类。羽族：鸟类。

③ 惟有是癖者：只有那些有养这种鸟的癖好的人。惟：只有。

④ 为丛驱爵者鹯也：丛，树林。爵，同"雀"。鹯，音 zhān，即鹞鹰。按，

《孟子·离娄上》："故为渊驱鱼者，獭也；为丛驱爵者，鹯也；为汤武驱民者，桀与纣也。"

⑤ 取子毁室：按，《诗·豳风·鸱鸮》："鸱鸮鸱鸮，既取我子，无毁我室。"子：幼鸟。室：鸟窝。

⑥ 毙：死掉。

⑦ 魏信陵君公子无忌：即魏无忌（？—前243）。战国时魏国贵族，号信陵君，战国四公子之一。

⑧ 载是鸟形：收入此鸟之形。

⑨ 闪翅：即侧身束翅。按，这样才能更好地将翅膀闪开，以避免碰到树枝，所以说"闪翅"。

⑩ 因应：顺随应对。

## 参考译文

鹞是一种小鹰，生性最狠毒，甚至会伤害同类。它的种类很多，只有嗜好养这种鸟的人能辨别清楚，鹞是这类动物的总名。孟子说："帮助丛林把鸟雀驱赶进去的是鹯。"《诗·豳风》中说的抓走鸟的幼雏又毁掉鸟窝的叫作鸱鸮，也都是这一类。唐太宗酷爱这种鸟，常用手拿着玩弄，看见魏征过来，来不及转移，于是就藏匿在怀中，等魏征离开，鹞也闷死了。战国时，魏国的信陵君最厌恶这种鸟，常捕捉若干头杀掉。后世喜欢这种鸟的，不在少数，到前清时尤其多。形意武术收入这种鸟形，是取它有入林之巧。试看别的鸟入林，都是直出直入，唯独这种鸟要特地闪翅而入，与别鸟不同。练艺的人取其侧身闪展的形象，哪怕敌人防守得很严密，也能用鹞形斜身打进去，就在于学者是否善于顺随和应对了。

# 形象篇第九章

蛇，虫名，即世俗所谓长虫是也。是物形象最蠢，人见而多畏之。究其实，亦未常害人，其形象使然也。其色分五彩，青、黄、赤、白、黑等样，因地之所生不一，故其色亦异。南方所产极大者谓之蟒，北方无之。今所言蛇，指北方所产之小蛇也。性畏鹤，善盘[①]，见鹤即痴[②]，亦如鼠之惧猫也。是物无他长，惟遵隙即入[③]，形意武术取其意者在乎此。术谱云："蛇有拨草之精"，学是形者，长于[④]躲闪，善于进法。练之即精[⑤]，不怕铜墙铁壁，亦可遵隙而出也。譬之在狭隘之地，敌人将我堵住，旁处无可容身，我则用蛇行拨草之功，亦可侧身而出，不能令人挤杀是地[⑥]，非长于蛇形，何得及此?



**注释**

① 善盘：善于盘屈。

② 痴：呆，不动。

③ 惟遵隙即入：就会顺着缝隙往里钻。惟：就（会）。遵：循，顺着。

④ 长于：擅长于。

⑤ 练之即精：练得要是精通了。

⑥ 挤杀是地：挤杀于此地，挤杀在这个地方。

## 参考译文

蛇是一种虫名，就是世俗所说的长虫。这种动物形象最丑陋，人见了大多害怕它。究其实际，倒也不一定害人，是它的形象使人害怕。它的颜色分为五种，青、黄、红、白、黑等，因产地不同，故而它的颜色也不同。南方所产的特别大的称为蟒，北方没有。现今所说的蛇，是指北方所产的小蛇。生性怕鹤，善于盘屈，一见到鹤就吓呆了，就像老鼠怕猫一样。这种动物没有别的特长，就会顺着缝隙往里钻，形意武术取它的特长就在这一点。拳谱说："蛇有拨草的本事"，学这一形，擅长躲闪和进法。要是把这一形练精了，哪怕对方是铜墙铁壁，也可以顺着空隙打进去。譬如在狭隘的地方，敌人将我堵住，旁边没有可以容身的地方，我就用蛇形拨草的功夫，侧身而出，不能让人家挤杀在里面。要是不擅长蛇形，哪能做到？

# 形象篇第十章

鲐，俗名突鹘，鹰也。按[1]鹰之名不一，端有[2]所谓黄鹰者，有所谓大鹰者。古诗云“草枯鹰眼疾[3]”，又云“苍鹰欲下先偷眼[4]”，又云“鹰隼出风尘[5]”，皆言黄鹰也。由是观之，鲐者亦鹰之别种也。又有言，鲐者，鹰爪中之掌。职鹰讲鲐大鲐小，鲐大者力大能拿物，鲐小者力薄不能拿物，此又一说也。按术谱所载：“鲐有竖尾之能”，即术谱所云：“臀尾为一拳”，则其有掀动力可知也。按形意拳练法，鲐形系属顾法。如人用双手向我头而击，我两手用力将彼手分开，然后用双拳齐向彼腹还击，此即鲐形。细参考，是物掌力最大可知。鲐者，是物两翅用扇动力，然用两掌揺之[6]，此明证也。综而言，十形之中均是顾法极多，望学者细心领会可也。

注释

① 按：考察。

② 端有：颇有，确有。

③ 草枯鹰眼疾：见唐代诗人王维《观猎》。

④ 苍鹰欲下先偷眼：北宋诗人林逋《山园小梅》作“霜禽欲下先偷眼，粉蝶如知合断魂”。

⑤ 鹰隼出风尘：见杜甫《奉简高三十五使君》。

⑥ 搥之：打它。搥，捣击。

## 参考译文

鲐，俗名突鹘，是一种鹰。考察鹰的名称不止一种，确实有叫作黄鹰的，有叫作大鹰的。古诗说“草枯鹰眼疾”，又说“苍鹰欲下先偷眼”，又说“鹰隼出风尘”，都是说的黄鹰。由此看来，鲐也是鹰的一个别种。又有说“鲐”是指鹰爪的掌。因为鹰讲究鲐大鲐小，鲐大的力大，能拿起东西；鲐小的力小，拿不起东西，这是又一种说法。按照拳谱上记载：“鲐有竖尾的能力”，即拳谱所说的“臀尾为一拳”，则可知它又有掀动的力量。考察形意拳的练法，鲐形是属于顾法。假如有人用双手向我头部打来，我两手用力将他的两手分开，然后用双拳一齐向它的腹部还击，这就是鲐形。仔细比较研究，可知这种动物掌力最大。鲐在捕猎时，先用两翅扇击，然后再用两掌捣击，就是明证。总而言之，十形之中顾法很多，希望学者细心领会。

# 勇敢篇

## 勇敢篇第一章

勇自心生，非由外至。孔子云：“见义不为，无勇也。”[①]又云：“仁者必有勇。”[②]由是观之，人人有勇，无以鼓励之，则勇无所感发而兴起焉。若练形意武术之后则不然，外慕岳武穆之忠心耿耿，内秉于艺业精通，一旦有事，忠义愤发之心，勃然而不可遏，有不杀敌致果，效命于疆场者乎！日本三岛小国，一战而胜英吉利[③]，再战而胜满清[④]，三战而胜强俄[⑤]，从此胜强加诸环球之上，谓非勇敢之心使然欤！况我华国地大物博，在环球称为巨擘[⑥]，人民四万万五千万，除一半女子之外，下余二万万二千五百万，使人人无论仕、农、工、贾、军、警、学皆练形意武术，再加实业盛兴、财政充足，一跃可加各国之上，诸同仁不禁拭目俟之！



注释

①见义不为，无勇也：按，《论语·为政》：“子曰：‘非其鬼而祭之，谄也。见义不为，无勇也。’”

②仁者必有勇：按，《论语·宪问》：“子曰：‘有德者必有言，有言者不必

有德；仁者必有勇，勇者不必有仁。'"

③ 一战而胜英吉利：应指1863年的萨英战争。这是日本萨摩藩与英国之间的一次小型冲突，最终英国人退走。

④ 再战而胜满清：指1894年中日甲午战争。

⑤ 三战而胜强俄：指1904—1905年，日俄为争夺中国东北和朝鲜权益而进行的战争。

⑥ 巨擘：犹如说巨人。

## 参考译文

勇气是从内心产生的，不是由外部输入的。孔子说："见到不合理的事不能挺身而出，是没有勇气。"又说："仁爱的人必有勇气。"由此看来，人人都有勇气，只不过要是没有适当的方法激励它的话，勇气就没有事物感发而使它旺盛起来。但是练形意武术之后就不一样了，外则仰慕岳武穆的忠心耿耿，内则秉承了艺业精通的自信，国家一旦有事，忠义奋发之心勃然而起，不可遏止，哪有不杀敌立功，效命于疆场的呢！日本只不过是一个三岛小国，但是它一战胜了英吉利，再战胜了满清，三战而胜了强悍的俄国，从此它的强盛闻名于世界各国，能说不是他们的勇敢之心使然吗！何况我国地大物博，在世界上号称是首屈一指，人民有四万万五千万，除一半女子之外，还有二万万二千五百万男子，假使无论士、农、工、商、军、警、学各行各业，人人都练形意武术，再加上实业兴旺、财政充足，一跃可以凌驾各国之上，各位同仁不禁拭目以待！

# 勇敢篇第二章

仕者[1]，万民之表率也，居其位者，当如何洁己奉公，以尽公仆之责任！乃[2]观今之仕者，坐拥厚资，盈千累万，公退之暇，声色货利是娱，美女艳妓为乐，妻妾满前，不啻[3]古之肉屏风。内则自损天年，外则遗误要政，于世有何益哉！何如于公事之暇，勤习形意武术，内则保养丹田，外则坚其筋骨。一旦有变，贾其余勇，率其素练民夫[4]背城一战，不至临阵潜逃，可以保守境界[5]，所谓"上马能擒贼，下马作露布"[6]是也。正可拟[7]"入则周公[8]、召公[9]，出则方叔[10]、召虎[11]"，谁谓武不能兼文，文人不武哉？仕者其勉诸。



**注 释**

① 仕者：指官员。

② 乃：却，但。

③ 不啻：无异于，如同。

④ 素练民夫：训练有素的民兵。

⑤ 保守境界：保卫自己辖境（的平安）。

⑥ 上马能擒贼，下马作露布：按，《北史·傅永传》："帝每叹曰：'上马能击贼，下马作露布，唯有傅修期耳！'"露布，也称"露板""露版"。古代用来称檄文、捷报或其他紧急文书。

⑦ 正可拟：正可比（作）。

⑧ 周公：姬姓，名旦，西周初年政治家，曾在周成王年幼时摄政，后归政于成王。

⑨ 召公：姬姓，名奭，西周初年政治家，曾辅佐武王灭商，后与周公共同辅佐成王。

⑩ 方叔：周宣王时大臣，曾率军南征楚国，北伐猃狁，是周朝中兴的功臣。

⑪ 召虎：又称召伯虎，召公奭的后裔。周厉王死后拥立周宣王，并曾率军战胜淮夷。

## 参考译文

官员是万民的表率，处于这个位置的人，应当怎样的廉洁奉公，来尽到公仆的责任啊！但是看今天的官员们，坐拥着成千上万雄厚的资产，在公事之余，以声色货利、美女艳妓作为娱乐，妻妾站满面前，无异于古时所说的肉屏风。对内则折损自然寿命，对外则贻误重要的政事，这对于社会有什么好处呢！何不在公事的余暇，勤习形意武术，内则保养丹田，外则强壮筋骨。一旦遇上事变，也能够鼓起勇气，率领训练有素的民兵背城一战，而不至于临阵潜逃；这样可以保卫一境的平安。这就是所谓的"上马能擒贼匪，下马能写露布"的文武全才。正可以比拟为"入朝则像周公、召公那样辅佐天子治理天下，出战则像方叔、召虎那样率领军队保卫国家"。谁说武人不能兼有文才、文人不能兼有武略呢？官员们，努力吧。

# 勇敢篇第三章

古者井田之法[①]，与[②]人民计口授田，计田出兵；兵即是民，民即是兵；民无筹饷[③]之劳，兵无扰民之累，法至善也，意良美也。自井田之法废，其害曷可胜言[④]！兵只知持枪以卫社稷[⑤]，民只知执耒耜[⑥]以耘田[⑦]。一旦有警，父不能顾子，兄不能护弟，抛田园、弃房产，舍妻子[⑧]而奔逃，家财任贼蹂躏，惨目伤心，有如是也！何不于春耕、夏耘、秋收之余，选各村精壮民夫，学习形意武术；择各村殷实之家，督率之官[⑨]，发给枪械，编成号码，交村正[⑩]收存。倘有不虞，各村互相联络，守望[⑪]相助，亦可以补兵力之不足，此即乡团[⑫]之意也。满清道咸年间，各省倡乱[⑬]，其得力于乡勇[⑭]居多。年代不远，曷不尤而效之[⑮]？惟望各省方面大员[⑯]之提倡耳。



注 释

① 井田之法：即井田制。相传殷周的一种土地制度，因土地划分为“井”字形，故名。

② 与：给予。

③ 筹饷：筹集军饷。

④ 其害曷可胜言：它的害处哪里讲得过来！胜：尽。

⑤ 社稷：土神和谷神，旧时用作国家的代称。

⑥ 耒耜：古代耕地翻土的工具。

⑦ 耘田：锄地。

⑧ 妻子：妻与子。

⑨ 督率之官：督促带领着去官府。之：前往。

⑩ 村正：犹今村长。

⑪ 守望：防守与伺望，指防备盗贼或水火之灾。《孟子·滕文公上》："出入相友，守望相助，疾病相扶持。"

⑫ 乡团：保卫乡里的地方武装组织。

⑬ 满清道咸年间，各省倡乱：清道光、咸丰年间，各省有人造反。按：这里指太平天国起义等。

⑭ 乡勇：清时为镇压农民起义临时招募成立的地方武装。

⑮ 曷不尤而效之：何不效法它。尤：过失，错误。尤而效之，已经知道错了，还要效仿它。这里是反用其意。

⑯ 方面大员：指地方主要官员。

## 参考译文

古代的井田制，给人民按人口的多少授予田地，各家再按田地的多少出兵参战；兵就是民，民就是兵；民没有筹集军饷的义务，兵也不会扰民，这种方法最理想，它的用意也很好。自从井田制废除后，它的害处讲不过来！兵只知道拿着枪保卫社稷，民只知道拿着耒耜来耕耘。一旦有警报，父亲顾不了儿子，哥哥保护不了弟弟，抛弃掉田园和房产，丢舍掉妻子和孩子而逃命，家财任由强盗蹂躏，惨目伤心，有如此的厉害！为何不在春耕、夏耘、秋收的余暇，挑出各村的精壮民夫，学习形意武术；再选择各村的殷实人家，督促带领他们到官府，发给枪械，编成号码，交由村正收存。倘若遇有不测之事，各村互相联络，守望相助，也可以补充正规军队的兵力不足，这就是组织乡团的办法。满清道咸年间，各省有人带头叛乱，在平叛的过程中，得力于乡勇的占多数。这事过去的年代不长，我们现在何不仿效？希望得到各省主要官员的大力提倡。

# 勇敢篇第四章

工者，执一艺以成者也。居肆成事[①]，他无所长，即京师内外大小商埠、各工场皆是也。然于课工[②]之暇，亦有游戏一门，以舒其筋骨。然不过踢球、打蛋、跳高、吉浪木[③]、打秋千之类是也，此真以有用之精神，置之无用之地。倘国家多事，亦只人云亦云，弃工逃走，徒增浩叹而已，有何益国家哉！若能于日省月试之余，早学形意武术，外则身体精壮，内则有勇知方[④]，有拳则勇，有勇则敢战。若编成队伍，使其平夙之信任者[⑤]统领之，勉以有国则有家，有家方能有身，大义以励之，未可不背城一战，以补兵力之单薄，惟在监督[⑥]之平昔指示耳！

注释

① 居肆成事：在作坊里完成自己的工作。肆，店铺。《论语·子张》："子夏曰：'百工居肆以成其事，君子学以致其道。'"

② 课工：考核（完）工作。

③ 吉浪木："吉"字疑误。浪木，也称"浪桥"，体育活动用具。用一根长

木，两端连上铁链，平悬在木架上，离地约33厘米。人站在木上，来回摆荡。

④ 有勇知方：有勇气而且懂得大义。《论语·先进》：“子路率尔而对曰：‘……由也为之，比及三年，可使有勇，且知方也。’”

⑤ 其平夙之信任者：他们平素信得过的人。

⑥ 监督：负责监督的人，类似于今之经理或厂长。

### 参考译文

工匠，是凭着技艺来制作各种物品的。他们在作坊里完成自己的工作，别无所长，即首都内外的大小商埠及各个工场里面都是。他们在完成任务的空闲时间，也会有一门游戏来舒展他的筋骨。然而不过就是踢球、打蛋、跳高、踩浪木、打秋千之类的项目，这真是把有用的精神，放在了无用的地方。倘若国家遭遇事变，也只能盲目地跟着众人，丢下工作逃走，这只不过增加几声长叹而已，对国家有什么好处呢！若能在日省月试的空闲时间，早学形意武术，外则身体精壮，内则有勇知方，懂拳则有勇，有勇则敢战。如果（将他们）编成队伍，委任他们平素信任的人来统领，用“有国就有家、有家才能有身”的大义来勉励他们，未必不能背城一战，来补充正规兵力的单薄，这只在于负责监督的人平时指导教育罢了！

# 勇敢篇第五章

商者，逐什一[①]之利，以有易无，补各处生产之不足也，生命财产均在是焉。每见各富商大贾，于无事之时，亦花天酒地，局楼[②]妓馆等处，买笑追欢，惟日不足[③]。倘有不虞，亦惟[④]窃[⑤]负[⑥]而逃，弃财而不顾，诚为可惜！何不于持筹握管[⑦]之余，择年力精壮者，每铺各出一人学习形意武术，一人传十，十人传百，编成队伍，禀明[⑧]官家，自制枪械，勤加操练。有备所以无患。一旦国家多事，亦可假此以助军威，未始[⑨]非强国之一端。试观英美各强国，均以兵佐商，我华国何不仿而行之？虽目下各商埠均有商团[⑩]，雇人荷枪保卫，然徒有虚名，毫无实迹，果能有恃而无恐耶？望绅商富贾郑重思之。

注释

① 什一：十分之一。

② 局楼：指赌场，即开设赌局的场所。

③ 惟日不足：就怕时间不够。

④ 亦惟：也只有。

⑤ 窃：偷偷地。

⑥ 负：背着（老婆、孩子）。

⑦ 持筹握管：端着算盘（算账）、握着笔管（记账）。

⑧ 禀明：禀告明白。

⑨ 未始：未必。

⑩ 商团：旧时商会在城市中组织的武装。

### 参考译文

商贾，就是为了追逐那十分之一的利润，用某地出产的货物交换这里没有的货物，来补充各处生产的不足，他们将自己的生命财产均押在生意里面了。每每见各个富商大贾，在没事的时候，也是花天酒地，到酒楼妓馆等处，买笑追欢，只恨时间不够。倘若遇有不测之事，也只能偷偷地带着老婆孩子逃跑，把财物丢弃不顾，实在是可惜！何不在经营业务的余暇，选择年轻力壮的伙计，每个商铺各派出一人学习形意武术，一人传给十人，十人传给百人，编成队伍，禀明官家，自制枪械，勤加操练。有备才能无患。而且一旦国家有事，也可以借助这种商兵来给国家助军威，这未必不是强国的一种方法。试看英美各强国，都是用武装来保卫商业贸易，我们中国何不仿照进行？虽然眼下各个商埠均有商团这种组织，雇人扛着枪保卫，然而徒有虚名，不见一点实际效果，我们真的能有恃而无恐吗？望各位绅商富贾郑重加以考虑。

# 勇敢篇第六章

军者，卫民者也，非扰民者也，所以军出力以保民，民筹饷以养军，军民本[1]相需为用者也。每见今之军人，有事开差[2]，到处扰害闾阖[3]，稍有不遂[4]，鞭挞随之，黎民畏之如虎。乡俗语云：人不当兵，铁不打钉，我华国军籍之名誉扫地矣！若遇战事，哗溃[5]潜逃者，亦数见不鲜，所谓勇于私斗，怯于公战者，非虚语也。望统兵大员，于朝夕两操之余，令人人学习形意武术，外养其精力，内保其天真，勉以亲上死长之方[6]，使知有国家思想，临阵自不至畏葸不前，其不出死力以卫国者，几希[7]矣！惟望知兵[8]大员，率而行之，前途庶几有赖矣！

注 释

① 本：本来是。

② 开差：部队由驻地或休息地出发，或指军队行动。

③ 闾阖：疑为“闾阎”，里巷的门，借指平民。

④ 不遂：不顺。

⑤ 哗溃：哗变溃散。

⑥ 勉以亲上死长之方：用爱戴上级、效命尊长的大义勉励他们。

⑦ 几希：很少。《论语·尽心上》："舜之居深山之中，与木石居，与鹿豕游，其所以异于深山之野人者几希。"

⑧ 知兵：主持军队事务。知：主持。

## 参考译文

军队是用来保民的，不是用来扰民的，所以军出力来保民，民筹饷来养军，军民本来是相需为用的关系。每每见现今的军人，有事开差，就到处侵扰居民，稍有不合意的地方，随即鞭挞人家，老百姓怕得像见了老虎一样。乡间的俗语说：好人不当兵，好铁不打钉，我国的军人真是名誉扫地了！要是遇上战事，哗变溃散及潜逃的，也屡见不鲜，古人所说的"勇于私斗，怯于公战"，真不是空话。希望统领军队的大员们，在早晚两操之余，令士兵人人学习形意武术，外则培养他的精神体力，内则保守他的善良本性，再用爱戴上级、效命尊长的大义勉励他们，使他们有国家意识，临阵自然不至于畏葸不前了，这样的话，不出死力来保卫国家的，几乎没有了！只希望主持军队事务的大员们，率先实行，国家的前途就差不多有依靠了！

# 勇敢篇第七章

巡警之设，所以卫商保民，每月捐款，亦属不赀[①]，应是役者[②]，当如何激发天良，各尽职任！警界资格[③]以津郡[④]为上，奉天[⑤]次之，京都[⑥]又次之，终日除查街、站岗或与拉人力车为难[⑦]之外，他无所长。何不于勤务之暇，令其练习形意武术，内可保身，外可卫商，善莫善于此也。心有主则不惧，不惧则有勇，倘有警变，何至弃械潜逃，知有私而不知公也？试观客岁京都兵变[⑧]，各警界为之一空，有阻挡变兵[⑨]不使之抢夺者乎？有与变兵为难者乎？有临变不惧者乎？风流云散[⑩]，几与无警者等[⑪]，可惜商民每月之血汗，养此无用之警兵，良[⑫]可慨也！切盼内外厅丞[⑬]稍事变通，无负[⑭]巡警名目可也。

注释

① 不赀：无法估量。赀：计算，估量。

② 应是役者：应募从事这种职役的人。

③ 资格：当指声誉。

④ 津郡：应指天津。

⑤ 奉天：今沈阳。

⑥ 京都：指北京。

⑦ 与拉人力车为难：即为难人力车夫。

⑧ 客岁京都兵变：去年北京兵变。这里当指 1912 年北京兵变。

⑨ 变兵：参与兵变的乱兵。

⑩ 风流云散：像风和云一样散开，比喻在一起的人分散到四面八方。

⑪ 等：相等，等同。

⑫ 良：的确，实在。

⑬ 内外厅丞：清末民政部的内城巡警总厅厅丞与外城巡警总厅厅丞。中华民国成立后，将北京的内外巡警总厅合组为京师警察厅。厅丞，官名，清末改革官制，新建官署称厅的，其主官或称厅长，或称厅丞。

⑭ 无负：不要辜负。

### 参考译文

巡警的设立，是为了保护商民，各商家每月的捐款，也不算少，那么应募从事这种职役的人，应当怎样激发天良，各尽其职呢！警界的社会声誉以天津为最高，奉天差一点，北京又差一点，整天除了查街、站岗或查处为难人力车夫以外，别的没有什么长处。何不在执行勤务的闲暇，让他们练习形意武术，（这样）内可保护自身，外可保卫商民，再好不过了。心有主见则不惧怕，不惧怕则有勇气，倘若遇有治安事件，何至于弃械潜逃，只知有私而不知有公呢？试看去年北京兵变，警界的人都跑空了，有阻挡那些变兵不让他们抢夺的吗？有与变兵为难的吗？有临变不惧的吗？大家都像风吹云飘一样跑掉，几乎与没有警察等同，可惜商民们每月捐献的血汗钱，却养了这种没用的警兵，真是让人慨叹啊！热切盼望京城的警察厅长们稍微变通一下，改进警员的训练和教育管理，不要辜负巡警这个名称。

# 勇敢篇第八章

学界为各界萌芽之始，国家之兴亡系焉。各强国每岁察学堂之多寡，知国家之盛衰。自中华反正[①]以来，京师以及各商埠、省会，学堂林立，较之满清时代学界，大有进步。然守旧[②]不知维新[③]，每多无益之举。即如体操一门，仍与工界相等，不知变通，实为可惜。际此国家多事之秋，正宜及时兴起学习形意武术，以为强国之基础，从此人人身体可健，团体可结，不致流于散沙一脉，谁谓华国不可转弱为强？在学界倡始之一端，惟望学界督办诸公，鼓舞人材，去无益[④]，添有益，使诸生知以国家为前题[⑤]，勉为其难，不负天下人之仰望可也！

注释

① 中华反正：中华返归正道。按：这是指辛亥革命推翻满清，建立共和。

② 守旧：守旧派。

③ 维新：革新。《诗·大雅·文王》："周虽旧邦，其命维新。"维：语助词。维新即新，后称变旧法而行新政为"维新"。

④ 去无益：去掉无益的科目。

⑤ 以国家为前题：以国家的利益为先。

## 参考译文

学界是各界萌芽的开始，国家的兴亡全系于此。世界上各强国每年通过观察统计学堂的多少，就可以知道他们国家的盛衰程度。自从中华反归正道以来，首都以及各商埠、省会，学堂林立，比满清时代的学界，大有进步。然而守旧派不懂革新，每每多行无益的举措。就如体操这一门，其训练内容仍与工界相同，也不知道变通，实在是可惜。值此国家多事之秋，正应该及时振作起来学习形意武术，把它作为强国的基础，这样的话，从此以后人人身体可以强健，群众团体可以结成，国人不致成为一盘散沙，谁说中国不能转弱为强呢？在学界倡导形意武术这件事，希望学界的督办诸公，鼓励人才，去掉无益的科目，增添有益的科目，使学生们懂得以国家的利益为先，勉力进行艰苦的训练，以不负天下人的期望！

# 勇敢篇第九章

外人每笑华人勇于私斗[1]而怯于公战[2]，是我华人漠视乎国家，重视乎己身，而不知国家非一人之国家也。自民军义旗一举，天下响应，破除满清专制之天下，一跃而为五族共和之天下，汉、旗、蒙、藏、回，无论何等样人，皆有担负国家责任。种族强，国亦随之而强；种族弱，国亦随之而弱。人人有偌大之关系。曷不急学形意武术，以图远大之谋哉？若果仕、农、工、商、军、警、学各界，无分畛域，人人习练此艺，联为一脉，以此作为五族共和吸力[3]，共结为团体，未始非强国保种之一大关键，从此可与各强国永结盟好，环球人何敢再藐视华国哉！

注 释

① 私斗：为个人私利而争斗。

② 公战：为国家、民族利益而战。

③ 吸力：凝聚力。

## 参考译文

外国人每每笑话华人勇于私斗而怯于公战，这是因为我华人漠视国家利益和尊严，只重视自身私利，而不知国家并非一人的国家（而是大家共同的家园）。自从民军义旗一举，天下一致响应，推翻了满清的专制统治，我国一跃而成为五族共和的天下，汉、满、蒙、藏、回，无论哪一个民族、哪一个阶层，都负有保卫国家的责任。种族强，国也随之而强；种族弱，国也随之而弱。(这) 与人人都有很大的关系。何不抓紧学习形意武术，以谋求远大的前景呢？如果仕、农、工、商、军、警、学各界，不分职业、不分领域，人人习练这种武艺，大家连成一脉，以此作为五族共和的凝聚力，共同团结为一个整体，这未必不是强国保种的一大关键，从此可与各强国结盟友好，世界上谁敢再藐视我中国呢！

# 勇敢篇第十章

目下廿世纪列国竞争时代，强存弱亡，毫厘不爽，高丽[1]、琉球[2]、越南[3]、缅甸[4]、交趾[5]、印度[6]各小国所以不能自保也。我华国地大物博，人民号称四万万五千万，地之广，人之多，环球莫与比隆也。因何与外人交涉，著著失败，步步失机？人民团体不坚之故也。若果官视民如手足，推心至诚；民视官如腹心，遇事勇敢向前，不至坐观成败，上下一心，华国尚不危弱至此。惟望在上诸公，急提倡形意武术一门，使假此固结五族，团体痛痒相关，我华强盛指日而待。虽欠各国区区外债，偿还亦何难之有？从此我华国万岁，五族共和万岁，岳武穆所遗形意武术万岁！此作形意教科书之初衷也，亦诸同仁倡办武士会之本意也，是盼！

注 释

① 高丽：指朝鲜，包括如今的朝鲜和韩国，1910 年被日本吞并。

② 琉球：即琉球王国，1879 年被日本吞并。

③ 越南：即今越南，1884 年沦为法国保护国。

④ 缅甸：即今缅甸，经 1824、1852、1885 年三次英缅战争，被英国占领，1897 年成为英属印度的一个省。

⑤ 交趾：仍指越南。

⑥ 印度：即今印度。1600 年英国殖民者成立东印度公司，逐步在印度沿海建立殖民点，1849 年占领印度全境。

### 参考译文

眼下是二十世纪各国竞争的时代，强者存、弱者亡，毫厘不差，这就是高丽、琉球、越南、缅甸、交趾、印度各小国不能自保的原因。我国地大物博，人民号称有四万万五千万，地域的广大，人口的众多，全球没有能比得上的。却为何在与外人交涉时，着着失败，步步失机？是因为人民没有坚固地团结在一起。如果官将民视如手足，推心至诚；民将官视如腹心，遇事勇敢向前，而不至于坐观成败。上下一心，中国还不至于危弱到这种程度。只希望位在上层的诸公，加紧提倡形意武术，借助于它来牢固地团结五族同胞，使团体中的人痛痒相关，则我国的强盛指日可待。就算欠各国一点外债，偿还起来又有什么难的？从此我中国万岁，五族共和万岁，岳武穆所遗留的形意武术万岁！这就是我写作形意教科书的初衷，也是各位同仁倡导创办中华武士会的本意，热切期盼！

# 附 录

## 河间张兆东

金恩忠《国术名人录》

张占魁，字兆东，河间人。幼嗜技击[①]，初习少林拳，后拜形意大家老武术刘奇兰学艺。技成，供职于津门营务处[②]，拿贼捕盗，成绩卓著，江湖人称之为“赛天霸”[③]。

某日，同友数辈，赴戏园观剧。见包厢内有男女五六辈[④]，举止浮豪，阔绰之极。男子手中宝石约指[⑤]，光彩夺目，然眉目间颇含凶气。张知非善类。及剧终，张等尾于其后，无何[⑥]，至一青楼。张等遂潜入院内，询其掌班者曰：“斯四人由何日息此？身携何物？从速实告，不然封尔门，问尔罪也！”掌班者曰：“彼等来五日、宿四夜，挥财如土，赏下辄一二十金。至于彼等身携何物，则不知也，须问伴宿之妓。”乃密唤妓至，详询之，妓曰：“侬[⑦]于夜间上床时，惟见其大衫有口袋，内藏似乎手枪。”张曰：“明晨须俟[⑧]彼等盥洗时，佯将大衫挂于衣架，以避其手枪之利。神色切勿慌张，否则稍露形迹，打草惊蛇，则不易捕矣！切切注意及之，倘泄露秘密，当罪汝！”

即夜，张等乔装商贾，宿于院。翌晨[⑨]，以迅雷不及掩耳之计逮捕之，已脱其一。解而严讯，知为关东大盗。其脱之一，系老于绿林者[10]，见妓抱衣之神色不对，不及宣[11]于众，即独自遁去以期免祸，由此可见张之机警矣！

后有马某者，系淫贼，作奸盗案数起，与大盗王黑林夥聚[12]。在任丘、大城、雄县[13]一带，联络土匪，纠集六七百人，自号为马寨主。匪众有自来得、毛瑟枪[14]等利器，后自称为“中路革命军”，青天白日即敢抢掠奸淫，民不得安。后被淮军后路马队击散，马与匪党曹某遁。政府恐彼等散而复聚，为患不小，乃严令杨以德[15]督催营务处逼捕。

张奉命，即行侦察。后侦悉马等逃至山海关，将于关外聚夥。张闻报，即与一白某乔装小贩，星夜去山海关，往还于冷口[16]之间，窥机待之。一日，见马偕曹某，咸作农夫状，暗佩手枪，在路侧休息。张不及告白，即跃身向马，马扳机向张射击。张见状，用伏身法跃进。马出枪砉然一击，子弹射出时，张掌已进马胁。马倒地时，枪早向天空放去矣！白某此时已将曹某逮捕。解送津门而伏法焉。

张之一生事迹甚多，其门弟子亦夥[17]，如韩金镛[18]、姜容樵、王俊臣等，皆南北知名者也。最近冀省全运会国术预选，张师虽年近古稀，仍在场参筹盛会，当场表演八卦连拳，惜因腿部不便，故未表演绝技云。

注 释

① 技击：原指战国时齐国步兵的攻守之术，后世称搏击敌人的武艺为“技击”。

② 营务处：官署名。清末督、抚大多增募军队，因而设营务处，以道、府的文官充任总办、会办等，负责军营行政。

③ 天霸：即黄天霸，旧小说中的绿林好汉。

④ 五六辈：五六人。

⑤ 宝石约指：宝石戒指束着手指，即手戴宝石戒指。约，束。

⑥ 无何：不一会儿。

⑦ 侬：我。

⑧ 俟：等到。

⑨ 翌晨：翌日早晨，即次日早晨。

⑩ 系老于绿林者：是老道的绿林强盗。绿林，新莽末年，王匡、王凤等聚众起义，占据绿林山（今湖北大洪山），号称“绿林军”。后来就称聚集山林造反的好汉为“绿林”。也用来指群盗股匪。

⑪ 宣：宣告。

⑫ 夥聚：结伙，下文“聚夥”同。夥，同“伙”。

⑬ 任丘、大城、雄县：均为县名，在河北省（清时称为直隶省）。现任丘为县级市。

⑭ 自来得、毛瑟枪：枪械名，前者为手枪（驳壳枪），后者为步枪。

⑮ 杨以德：生于1873年，卒于1944年，字敬林，天津人，祖籍山东。民国初年，出任直隶省警务处处长兼天津警察厅厅长。杨是1918年杨三姐告状和1920年逮捕爱国学生、取缔天津学生联合会两事的主要人物之一。

⑯ 冷口：即冷口关，明长城蓟镇重要关隘，位于河北省迁安县东北32公里。

⑰ 夥：多。

⑱ 韩金镛：即韩慕侠。

参考译文

张占魁，字兆东，河间人。幼年即嗜好技击，起初练习少林拳，后来拜形意大家老武术师刘奇兰学艺。技成后，供职于天津营务处，拿贼捕盗，成绩卓著，江湖人称之为“赛天霸”。

某一天，与同事数人，去戏园看戏。见包厢内有男女五六人，举止轻浮、衣着华丽，阔绰得很。男子手上戴着宝石戒指，光彩夺目，然而眉目间颇含凶气。张知道这些人不是善类。等到剧终，张占魁等人尾随其后，不一会儿，到了一处青楼。张占魁等人于是潜入院内，询问那里的掌班人说：“这四个人哪一天住到这里？身上携带什么东西？从速如实告知，不然封你的门，问你的罪！”掌班人说：“他们来了五天住了四夜，挥霍钱财出手很大，犒赏下人动不动就是一二十金。至于他们身上携带什么东西，就不知道了，这得问伴宿的妓女。”于是秘密召唤妓女过来详细询问，妓女说：“我在夜间上床时，只见他的大衫有口袋，里面藏的似乎是手枪。”张说：“明天早晨要等他们盥洗时，假装帮忙将大衫挂到衣架上，以避免他们使用手枪拘捕。神色切不要慌张，否则稍微露出形迹，打草惊蛇，就不易抓捕了！务必注意这些，倘若泄露秘密，将会治你的罪！”

这天夜里，张占魁等人乔装成商人，住宿在这家青楼院里。次日早晨，以迅雷不及掩耳之势逮捕那些人，但已经逃脱了一个。押解回来严加审讯，得知他们是关东大盗。逃脱掉的那一个，是个绿林老手，他看见妓女抱衣服的神色不对，来不及提示其他同伙，就独自逃跑以期免于被抓。从这件事就可以看出张的机警了！

后来又有个马某，是一个淫贼，做奸盗案多起，与大盗王黑林纠合在一起。在任丘、大城、雄县一带，联络土匪，纠集了六七百人，自称为马寨主。这些匪众有自来得、毛瑟枪等利器，后又自称为“中路革命军”，青天白日就敢抢掠奸淫，使老百姓不得安生。后被淮军的后路马队打散，马与匪党曹某一起逃掉了。政府恐怕他们被打散之后还会聚集起来，为患不小，于是严令杨以德督促营务处追捕。

张得到命令，即进行侦察。侦察到马某等人逃到了山海关，将在关外聚伙。张得到情报，就与姓白的乔装成小贩，星夜赶去山海关，在山海关与冷口关之间潜伏下来等对方出现。一天，看见马某偕同曹某，都打扮成农民的样子，暗中佩戴着手枪，在路边上休息。张来不及告知白某，就跳起来冲向马某，马某扣动扳机向张射击。张见此情形，立即伏身跃进。马某出枪“砰”地一击，子弹射出时，张已出掌击中马某肋部。马某倒地时，他的枪弹早已射向天空了！白某此时也已将曹某逮捕。于是将二人解送天津法办了。

张的一生事迹很多，他的门下弟子也很多，如韩金镛、姜容樵、王俊臣等，都是南北知名的人。最近河北省全运会国术预选，张师虽已年近古稀，仍在场参与筹备盛会，并当场表演八卦连拳，可惜因腿部不便，所以没有表演其他绝技。

# 张占魁宗师略传（1865—1938）

张占魁，字兆东，同治四年（1865 年）八月生于直隶河间县①后鸿雁村。



张占魁早年在家务农，从一王姓拳师习少林拳。生性好打抱不平，善搏②，家乡一带凡有争吵斗殴事件，总挺身而出，予以调解。光绪三年秋，华北大旱，张占魁进津谋生，以贩卖瓜果蔬菜为业，并结识深县③李存义，两人义结金兰。后经李力荐，拜于形意拳第五代宗师刘奇兰先生④门下，习形意拳法。

张占魁在刘奇兰、李存义的调教和指点下，拳艺精进，与李存义同为河北派形意拳第六代的宗门巨擘⑤。

光绪七年（1881 年）夏，张至天津，遇当地市霸强索⑥敲诈。初则口角，继而动手，恼怒中出手错伤多人，遭官府通缉。幸得同乡托人说情保释，并将张占魁举荐至八卦掌始祖董海川面前。当时，董已年老体衰，多由程廷华代师授艺，因此与程廷华结为金兰。光绪八年（1882 年）冬，董海川去世，张占魁坟前递帖，由程廷华代师传艺，与尹福、程廷华、刘凤春、马贵、马惟琪、宋世荣⑦和刘德宽并称为八卦掌第二代的“八大弟子”。其形意拳、八卦掌技艺已臻[8]炉火纯青之境，有“闪电手”之称。

光绪二十六年（1900 年），八国联军攻占京城，程廷华遭枪击身亡，张占魁回到天津。

一日，天津旧城北门楼失火，楼上存储大量的兵械和火药，急待救援。只见张占魁只身登城，随即将易燃易爆之物纷掷城下。最后，连人带物从墙上纵身跳下。事后，天津知县阮国祯为之动容，特聘张占魁为天津县衙的“马快”[9]。张占魁在天津历任县衙“马快”，因屡建奇功，升营务处头领。

1911 年，与李存义参与创建天津中华武士会，并亲身执教。

1918 年 9 月，俄人康泰尔先后在上海民兴剧场及天津天和医院小花园表演举铁球、扯铁链等节目，由于观众反应冷淡，便在《益杨报》《顺天时报》上自称“世界第一大力士”“周游四十六国无敌手”，气焰嚣张，挑衅意味十足，随[10]转赴北平，致使南北拳师义愤填膺，云集京城。张占魁与李存义携门人韩慕侠、李剑秋、刘晋卿、王俊臣等十余人进京，参加在中山公园举行的“万国赛武大会”，力挫俄国大力士康泰尔，轰动全国，京津多家报刊均大肆报道。

晚年，张占魁在天津家中授徒为乐。其授徒时，非常注重武德教育，视武术为强种救国之基业。1929 年杭州国术游艺大会、1930 年上海市运动会、1933 年青岛第十七届华北运动会、南京第五届全国运动会、第二届国术国考、1934 年天津第十八届华北运动会上，张占魁应当时南京中央国术馆馆长张之江之邀，出任总裁判长、评判委员等职。

1938 年，张占魁因食道癌去世于天津，享年七十三岁。张一生授人达数千，知名者有：韩慕侠、王俊臣、刘晋卿、裘稚和、李剑秋、赵道新、姜容樵、钱树樵、张雨亭等。

张占魁晚年融形意拳之劲、八卦掌之变和秘传杆法三功一体，独立于传统的形意、八卦之外，以“形意八卦”体系著称。对形意拳、八卦掌的传承，功不可没。

注 释

① 直隶河间县：直隶省河间县，今河北省河间市。

② 善搏：善于搏斗。

③ 深县：直隶省深县，今河北省深州市。

④ 形意拳第五代宗师刘奇兰先生：从姬龙峰算起，姬传曹继武，曹传戴隆邦，戴传李洛能，李传刘奇兰，故称刘为形意拳第五代宗师。

⑤ 宗门巨擘：这一（形意）门的巨擘。巨擘，大拇指。比喻杰出的人物。《孟子·滕文公下》：“于齐国之士，吾必以仲子为巨擘焉。”

⑥ 强索：强行索要（财物）。

⑦ 宋世荣：应为宋长荣。

⑧ 已臻：已经达到。

⑨ 马快：骑马的捕快，旧时管署中协管缉捕盗贼的公差。

⑩ 随：随即。

## 人文武术精品书系

北京科学技术出版社

### 武学名家典籍丛书

杨澄甫武学辑注　定价：178 元
杨澄甫　著　邵奇青　校注
《太极拳使用法》
《太极拳体用全书》

孙禄堂武学集注　定价：288 元
孙禄堂　著　孙婉容　校注
《形意拳学》　《八卦拳学》
《太极拳学》　《八卦剑学》
《拳意述真》

陈微明武学辑注　定价：218 元
陈微明　著　二水居士　校注
《太极拳术》　《太极剑》
《太极答问》

薛颠武学辑注　定价：358 元
薛　颠　著　王银辉　校注
《形意拳术讲义上编》
《形意拳术讲义下编》
《象形拳法真诠》
《灵空禅师点穴秘诀》

陈鑫陈氏太极拳图说（配光盘）
定价：358 元
陈　鑫　著
陈东山　陈晓龙　陈向武　校注

李存义武学辑注　定价：268 元
李存义　著
阎伯群　李洪钟　校注
《岳氏意拳五行精义》
《岳氏意拳十二形精义》
《三十六剑谱》

董英杰太极拳释义　定价：98 元
董英杰　著　杨志英　校注

刘殿琛形意拳术抉微
定价：80 元
刘殿琛　著　王银辉　校注

李剑秋形意拳术　定价：89 元
李剑秋　著　王银辉　校注

许禹生武学辑注　定价：194 元
许禹生　著　唐才良　校注
《太极拳势图解》《陈式太极拳第五路　少林十二式》

张占魁形意武术教科书
定价：118 元
张占魁 著
王银辉 吴占良 校注

靳云亭武学辑注
靳云亭 著 王银辉 校注
《形意拳图说》《形意拳谱五纲七言论》

## 武学古籍新注丛书

王宗岳太极拳论 定价：50 元
李亦畬 著 二水居士 校注

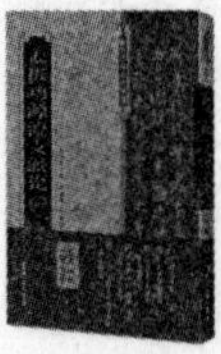

太极功源流支派论 定价：68 元
宋书铭 著 二水居士 校注

太极法说 定价：65 元
二水居士 校注

手战之道 定价：65 元
赵 晔 沈一贯 唐顺之
何良臣 戚继光 黄百家
黄宗羲 著
王小兵 校注

## 百家功夫丛书

张策传杨班侯太极拳 108 式
（配光盘） 定价：48 元
张 喆 著 韩宝顺 整理

河南心意六合拳
（配光盘） 定价：79 元
李洳波 李建鹏 著

形意八卦拳 定价：52 元
贾保寿 著 武大伟 整理

王映海传戴氏心意拳精要
（配光盘） 定价：198 元
王映海 口述 王喜成 主编

**张鸿庆传形意拳练用法释秘**
定价：69 元
邵义会　著

**华岳心意六合八法拳**
定价：65 元
张长信　著

**戴氏心意拳功理秘技**
定价：68 元
王　毅　编著

**传统吴氏太极拳入门诀要（配光盘）**
定价：68 元
张全亮　著

**拳疗百病——39 式杨氏养生太极拳**
定价：96 元
戈金刚　戈美藏　著

**尚济形意拳练法打法实践**
定价：86 元
马保国　马晓阳　著

**程有龙传震卦八卦掌**
奎恩凤　著

**刘晚苍传内家功夫及手抄老谱**
刘晚苍　刘光鼎　刘培俊　著

## 民间武学藏本丛书

**守洞尘技**
定价：108 元
崔虎刚　校注

**通臂拳**
定价：66 元
崔虎刚　校注

**心一拳术**　李泰慧　著　崔虎刚　校注

**少林论郭氏八翻拳**　崔虎刚　校注

**少林秘诀**　崔虎刚　校注

**少林拳法总论**

**六合拳谱**

**单打粗论**

**母子拳**

**拳谱志三**

**拳法总论**

**绘像罗汉短打变式**

**绘像罗汉短打通式**

**计艺外丹**

**香木神通**

## 老谱辨析点评丛书

再读浑元剑经　　马国兴　著

再读王宗岳太极拳论　　马国兴　著

太极拳近代经典拳谱探释　　魏坤梁　著

再读杨式老谱　　马国兴　著

再读陈氏老谱　　马国兴　著

## 拳道薪传丛书

三爷刘晚苍
——刘晚苍武功传习录
定价：54 元
刘源正　季培刚　编著

乐传太极与行功
定价：68 元
乐　奂　原著
钟海明　马若愚　编著

尉苍先生金仁霖
——太极传心录
定价：82 元
金仁霖　著

中道皇皇
——梅墨生太极拳理念与心法
定价：118 元
梅墨生　著

习武见闻与体悟　　陈惠良　著